U0064394

劉福春・李怡 主編

民國文學珍稀文獻集成

第一輯

新詩舊集影印叢編　第43冊

【劉大白卷】

舊夢（下）

上海：商務印書館 1924 年 3 月版

劉大白　著

花木蘭文化出版社

國家圖書館出版品預行編目資料

舊夢(下)／劉大白　著 -- 初版 -- 新北市：花木蘭文化出版社，2016〔民105〕

246 面；19×26 公分

(民國文學珍稀文獻集成・第一輯・新詩舊集影印叢編　第43冊)

ISBN：978-986-404-622-5（套書精裝）

831.8　　105002931

ISBN-978-986-404-622-5

民國文學珍稀文獻集成・第一輯・新詩舊集影印叢編（1-50 冊）

第 43 冊

舊夢（下）

著　者　劉大白

主　編　劉福春、李怡

企　劃　首都師範大學中國詩歌研究中心

北京師範大學民國歷史文化與文學研究中心

（臺灣）政治大學民國歷史文化與文學研究中心

總編輯　杜潔祥

副總編輯　楊嘉樂

編　輯　許郁翎

出　版　花木蘭文化出版社

社　長　高小娟

聯絡地址　235 新北市中和區中安街七二號十三樓

電話：02-2923-1455／傳真：02-2923-1452

網　址　http://www.huamulan.tw 信箱 hml 810518@gmail.com

印　刷　普羅文化出版廣告事業

初　版　2016 年 4 月

定　價　第一輯 1-50 冊（精裝）新台幣 120,000 元

舊夢（下）

劉大白 著

車中人語

汽笛嗚嗚地叫着，

車輪毗劉㵳樂地轉着，

玻璃窗乒乒乓乓地震着，

隔座的客人，夾七夾八地談着。

『你瞧！不得了！

這不是……的預兆！

一班時髦的婦女，

都穿起旗袍來了！

『你別說婦女底服飾，

關係很小！

我看張……沒得大總統做，

一定就要……。』

舊夢

『去年過年，
一隻漢玉的鐲子，賣了三百塊錢；
今年過年，
一隻乾隆窰的瓶，想賣一千！
但是今天離除夕，不過三天，
要是賣不去，怎地過年！

『去年收成好，
米價賤，
一千畝的田租，
不夠我過年！
今年米價貴，
收成歉，
一千畝的田租，
還是不夠敷衍！
過年過年，
實在過得討厭！』

舊夢

『三等車，
擠得慌！
頭二等，
疏朗朗地很寬敞！
要沒有三等車底擠，
頭二等哪來的福享！』

車到了，叫脚夫；
『拿東西！
這是貴重的，
要子細！
要是碰壞了，
你這窮骨頭，哪里賠得起！』

『是的！
我這窮骨頭，哪里賠得起！

209

舊夢

既是貴重的,
要子細;
叫我拿甚麼東西?
還是你先生自己……!』

一九二一,二,五,在滬杭車上。

捉迷藏

捉迷藏,捉迷藏,
大家蒙著眼睛往前闖。
一對對,一雙雙,
穿梭也似地來來往往。
不管伲——
哥哥瘦,妹妹胖,
姊姊短,弟弟長;
不管伲——
哥哥黑,姊姊黃,
妹妹白,弟弟蒼。

用不著描摹想像,
容不得計較商量。
只許你闖來闖去,誤打誤撞;
捉住了,就算是花花對,葉葉當。
要是哥哥弟弟姊姊妹妹們底愛
的迷藏,也是這樣,
那才算得至高無上!

一九二一,二,九,在杭州。

一幅神秘的畫圖

心啊!
我把你放在哪兒?——
最好是團圓的月裏。

月啊!
我把你放在哪兒?——
最好是纏綿的雲裏。

舊夢

雲啊!
我把你放在哪兒?——
最好是輕空的水裏。

水啊!
我把你放在哪兒?——
最好是惺鬆的眼裏。

果然,心在月裏,
月在雲裏,
雲在水裏,
水在眼裏,
這畫圖多麼神秘!

一幅神秘的畫圖,
從空中攝到眼底;

更從眼底映到心頭,

添上了一個心坎上溫存著的伊,反射入團圓的月裏。

心光和月光,

一齊照徹那伊底剔透玲瓏的心地。

一九二一,二,一二,在杭州。

在湖濱公園看人放輕氣泡兒

不過這一點點很渺小的身軀,

虧他也知道向上向上……向上去!

誰給他扶上青雲路?——

無非仗著東風,拂拂地吹噓,微微地擡舉。

算無限高寒空闊處,

由得他從容飛舞;

但要空中立足,

到底苦無根據。
況無定的風信,也許無端翻覆;
一轉瞬憑空壓下,就難免墮落泥塗,萬劫不復。

咳!何苦!
不能努力上前途,
只一味地隨人仰,又隨人俯!
如此起伏升沈,不由自主;
就一霎凌虛,
畢竟不怎麼靠得住!

一九二一,二,一四,在杭州。

愁和憂底新領土

古人爲甚麼要『寄愁天上,埋憂地下』?——
許爲的愁和憂,早全占了天以下,

地以上。

那麼,滿腔的愁和憂,除了天以上,地以下,

天地間直沒處安放。

但如今是愁焰燒天,憂流瀉地,薰徹了,沁透了上上下下,

更從何處去『寄』和『埋』?

愁呀!憂呀!你們底新領土,

也許更在天地外。

一九二一,二,一七,在杭州。

春問(一)

都說春來了,

究竟春在哪兒?——

你看梅花都開了,

就這綠蕚紅苞,還不夠把春光認

識?

哦!

原來春來了,——如此。

但我還要問,

今年的春,還是去年的春不是?

一九二一,二,一九,在杭州。

春問(二)

春!你底工作——怎樣?

枯的榮了,

禿的萌了,

算青青綠綠紫紫紅紅黃黃白白,作成些枝枝葉葉草草花花,把水水山山村村堡堡,渲染得嬌嬌滴滴,打扮得齊齊整整。

但你怎地把那些游人都弄得醉醺醺的,

越是黃蜂,紫蝶,翠鳩,青蛙,無夜無明地歌着,舞着,鼓吹着,越不肯醒來?

憑你那樣的暖日和風,怎還溫不轉我心地上的十分冷?

一九二一,二,二〇,在杭州。

春問(三)

才來,

你又打算去了?

告訴我,你底去路!你那準備着走的去路!

送你去的,照例是風風雨雨;

這風風雨雨裏,又夾雜着落紅無數。

咳!你難道定要犧牲了你底成績,作臨行的餞肴,贐品,你才滿足?

一九二一,二,二一,在杭州。

春問(四)

春!你在哪兒?

水裏嗎?——

不過暖了些,何曾有你底影子?

山上嗎?——

不過豔了些,難道是你底丰姿?

樹頭草縫嗎?——

不過帶了些青,碧,黃,白,紅,紫,又怎算得你底妝飾?

說你不是這些,

此外有甚麼形質?

說你就是這些,

又誰信不過如此?

究竟你底眞面目,

該怎樣地教人認識?

一九二一,三,九,在杭州。

舊夢

一顆露珠兒

曉色催人起，向小園徐步，探一樹櫻桃開未。

哪！東向的一朵半開花，微微地舒著一瓣。

那一瓣的尖上，正垂著一顆露珠兒，顫巍巍地欲滴——將滴——未滴。

這一瞬間，就神女底明珠，也沒這麼香，圓，朗，潔！

一抹未散的朝霞，半輪初升的旭日，齊放著美麗的晨光，遙射到花瓣尖上，和花光折合，反映入這香，圓，朗，潔的露珠兒，在這一瞬間顯出種種變幻不定的顏色。

欲滴——將滴——滴……一轉一閃…

…一閃一變……紅,橙,黃,綠,青,藍,紫七色齊現,都在這一瞬間;一瞬間——不見。

怎地不見?——是樹下的香泥,張著渴吻,把來吞了!

咳!泥呀!你吐還我這一顆香,圓,朗,潔,明珠不及的露珠兒呀!

一九二一,二,二三,在杭州。

我願

(一)花壽

誰不願花好;

我更願花壽!

花啊!

我願你壽!我願你耐久!

(二)月好

舊夢

誰不願月圓,

我更願月好!

月啊!

我願你好!我願你不受雲霧籠罩!

(三)人圓

誰不願人壽,

我更願人圓!

人啊!

我願你和我團圓!我願你和我沒有死別生離的缺陷!

一九二一,二,二四,在杭州。

春風吹鬢影

春風!你爲甚吹動伊底雙鬢?

伊底鬢亂了,

我底心也亂了!

舊夢

春風!你為甚吹動我底心?

春風!我底心動了,
你怎地又不動了?
這樣的困人天氣,
怎教我不沈沈入夢?

呵!你在我夢裏,卻又動起來了;
夢裏的伊,又是鬢影蓬鬆了!
我躲在壁壘森嚴的夢裏,你還要來亂我心曲?
春風!你為甚反反覆覆地把人作弄?

一會兒我也惱了:
伊也不耐煩了。
伊一手翦下了雙鬟青絲,打作繖兒,縮住了我底心曲;

省得你不安分的春風,無夢無醒地吹得人撩亂。

一九二一,二,二五,在杭州。

淚泉之井

我底心窩,是一眼通恨海的淚泉之井;

我底雙眼,是兩個汲淚泉的轆轤。

井是永遠地滿著;

眼窩是輾轉地牽著;

淚泉是淋漓地灑著。

恨都牽作淚,

淚又灑成河,

河還流歸海。

這樣循環不絕地滿著,牽著,灑著,流著,

海也不得枯,

[illegible]

泉也不得乾，

轆轤也不得停，

井也不得靜。

精衛呀！你別儘填海呀！

你銜了石，先碎了我底轆轤，填了我底井呀！

一九二一，二，二五，在杭州。

生命底箭

世間最緊嚴堅實的東西，

沒有更過於那一重當著人生面前的厚壁！

不論甚麼強烈纖細的光線，

也照不透彼底秘密。

但是無數的生命底箭，

卻沒有一支不把彼洞穿而不見。
那麼,世間最精銳尖利的東西,
沒有更過於那無數洞穿厚壁的
生命底箭!

一九二一,三,三,在杭州。

龜

——爲任君茂梧題畫——

古人說你靈,
你卻這樣蠢;
蠢倒也罷了,
又齷齪得很!

你大肚彭亨,
好像個財神。
但身沒半文錢,
說甚麼富國裕民!

蟹 夢

你全身披掛，
好像個軍人。
但動輒勾頭縮頸，
說甚麼衝鋒陷陣！

你雍容雅步，
好像個老官僚，闊鄉紳。
但不過曳尾塗中，
說甚麼顯威風，拿身分！

你不會勞動，
卻徼倖生存；——
這種墮落的生涯，
也算得掠奪階級底標本！

一九二一，三，四，在杭州。

生和死底話

『死 呀!
你能告訴我你那兒的祕密嗎?
我明白了,
也許上你那兒來游歷。』

『生 呀!
我無庸把這兒的祕密告訴你;
因爲你遊歷底程途,
畢竟要把我這兒作目的地。』

『死 呀!
人都稱你爲有往無返的城,果然嗎?
我想你也許是無上的樂園,
能教人樂而忘返。』

舊夢

『生呀!

我果然是有往無返的城。

但是無上的樂園不是,

除你親來經歷,卻也無從證明。』

一九二一,三,四,在杭州。

包車的杭州城

丁——當……丁——當……

包車來,包車往。

坐車的大模大樣,

拉車的橫衝直撞;

坐車的身軀晃蕩,

拉車的氣概昂藏。

車背後跟著一羣小孩子,一聲聲地亂叫:

『倒!打!倒!打!

『倒光!打光!

『抵！當！抵！當！

『抵 光！當 光！』

丁——當……丁——當……

包 車 來，包 車 往。

坐 車 的 甚 麼 人？——

不 是 員，就 是 長：

議 員，議 長，局 員，局 長，所 員，所 長，
科 員，科 長，行 員，行 長，處 員，處 長，
教 員，校 長：……

更 添 些 洋 人，軍 官，紳 士，財 主，富
商，

醫 生，律 師，教 士，官 眷，土 娼，…。

丁——當……丁——當……丁 丁 當 當，

把 一 座 杭 州 城，

無 夜 無 明 地 鬧 得 像 一 口 大 鬧 鐘，
一 隻 大 八 音 匣 子 一 樣！

舊夢

『喂!拉車的!

你這樣起早熬夜,衝寒冒暑,

不管堅冰烈日,雨雪風霜,

只是拚命地跑,飛風地蹌;

空下來還要雜差粗做整天忙;

到月底到底算得怎麼一盤帳?』

『咳!可憐哪!

吃飯啦,至多六塊;包飯啦,也不

過九塊大洋。

自身也管不了,還講甚麼妻子

爺娘!』

一九二一,三,七,在杭州。

春雪

好容易抽了些芽,

開了些花。

算仗那一輪暖日,

舊夢

　　幾拂和風，
作成了少許的韶華，
把嚴冬景象陽春化。

*　　　　*

誰料昨夜五更頭，
霰子撒如沙，
雪花兒跟著一陣一陣地下。
暖日和風，
一齊放了寒假，
回了他底老家；
讓寒飈捲將凍雨，
重來稱霸。
把那些嫩怯怯的芽兒花兒，
重重地一頓打，
都給他蹂躪煞！

努力地抗他，

耐心地等他吧!

看明朝,銅鉦似的太陽重向樹頭掛;

難道他還能盤據著,鎮壓著,

強把那春光按捺?——

就讓他一霎地把權拿,

可憐也不過這一霎;

到底有甚麼可怕?

*　　　　　*

啊!可怕的卻是那些株守著嶺北山陰的,

甘心埋沒在他底勢力範圍之下!

一九二一,三,七,在杭州。

「送花是表示愛情的」?

『送花是表示愛情的』,

愛情果然花也似的嗎?

舊夢

不多幾日,花就萎了,
愛情也不過如此嗎?

花萎了,
愛仍在。
愛情是永久的心上之花,
怎許把暫時的花來代?

一九二一,三,八,在杭州。

祝『戲劇』出世

全宇宙是一座大劇場,
全人生是一本大戲劇;
劇場裏的戲劇,
不過是複演人生斷片的一短齣。
雖然一短齣,
却能喚起人們,注意人生底全部。
有時候,人生底斷片,

畫圖也表現得出。

但他是無聲的,平面的,不活動的;

只有這戲劇,却是有聲的,立體的,

活動的畫圖。

就是影戲,

也只有那比畫圖能活動的長處。

怎及得戲劇,

能把人生底斷片,實際地描摹!

不但描摹,

能引起疑問,批評底興趣。

把舊的人生觀搖動了,

就成了社會改造底先驅。

無怪西洋底戲劇家,

看作宣傳主義的工具。

但是中國底戲劇呢,

却早在世界底戲劇界裏落了伍:

舊夢

甚麽舊劇,
固然不值得一顧;
鬧了十多年的新戲,
只有墮落的成績,教人憎惡,恐怖!
這死氣沈沈的黑暗社會,
又誰是伊復活的救主?——
好呀!『戲劇』產生了,
彷彿一聲的晨鷄叫曙!
高唱眞正的藝術,
把研究,宣傳,作實行底基礎。
要仗着藝術底呼聲,
衝破這墳墓似的社會底禁錮。
喚醒自由魂,
教那些舊的新的,一齊覺悟。
努力上前途,
向世界劇林中,不絕地進步!
這樣的藝術的光明運動!

蕙夢

真值得馨香禱祝!

一九二一,三,一二,在杭州。

失戀的東風

慣把人吹醉了的東風,

不知怎地連自己也狂醉起來了!

你看他儘戀着將落未落的花瓣兒,

抱着伊不住地吻着。

花瓣兒羞了,

翩翩地向西飛去了;

東風急了,

拂拂地也向西追上去了。

花瓣兒在前,

東風在後。

在前的儘飛,

在後的儘追。

東風追得緊了，
花瓣兒也急了；
向下一避，
飛下湖面去了。
湖面的微波，
暈着渦兒，
展着眉兒，
嫣然微笑地歡迎伊。
伊也戀着微波，
再也不肯起來了。
東風惱了，
鎮日地鼓着氣，
向微波噓噓地吹着，
想捲起花瓣兒來。
微波只是嫣然地笑着；

舊夢

花瓣兒也只在微波底懷裏，
很甜蜜地睡着；
不管那狂醉的東風惱着。

一會子月兒從東邊上來了，
彷彿在後邊笑喚着東風道：
『吹開了伊的是你，
吹謝了伊的也是你，
現在伊卻戀着微波去了。
這還是你造了吹謝了伊的業，
才作成了落花流水底因緣。
如今你也別再戀着伊了；
還是我這老伴侶，
和你追隨着吧！』
東風醒了，
果然撇下了花瓣兒，
重記起月兒來了。

但還只是匆匆地向西奔着，
月兒也冉冉地向西跟着。
東風在前，
月兒在後。
在前的儘奔，
在後的儘跟。

東風倦了，
月兒趕上了。
卻又迴過臉兒來，
彷彿在前邊笑喚着東風道：
　『趕上來喲，東風！
　我和你同上西海之濱沐浴
　去，游泳去喲！』
但是東風畢竟倦了，
沒氣力了，
儘趕……儘趕……畢竟趕不上去。

舊夢

月兒也惱了，
獨自向西飛去，
一閃身兒不見了。
剩下孤另另的東風，
還癡癡地獨自向西空趕着。

湖面的微波，
擁着睡在懷裏的花瓣兒，
向東風冷笑着道：
『羞喲！
花也不戀你了，
月也不戀你了，
你還癡癡地獨自向西空趕着
做甚？』
東風禁不起他底冷笑，
虎虎地亂舞亂吼起來了。
越是東風虎虎地亂吼着，

微波也越是呵呵地狂笑着。

微波在前，

東風在後。

在後的儘吼，

在前的儘笑。

一九二一，三，一八，在杭州。

一絲絲的相思

一絲絲的烟，

一絲絲的雨，

縱縱橫橫斜斜正正地織成一幅新樣的春愁。

電翦裁來，

風針刺去，

把相思繡出，更仗着一絲絲的織柳。

這一幅打在春愁樣上的相思稿

舊夢

子，

攝歸眼底，

映到心頭。

才上心頭，

更攢上眉頭，

把春愁重量壓得眉頭皺，

不但眉頭；

這一絲絲的相思，

直把全身的骨頭沁透。

如此刻骨相思，

不把他繭兒似地一絲絲地抽盡了，

怎教人禁受？

這抽出的一絲絲，

更麝也似地搗作塵塵，蓮也似地拗成寸寸，

教他只剩些爐底寒灰,溝中殘垢。
但這些寒灰殘垢,
也難保不重化香泥,
栽培出一樹最相思的紅豆。

一九二一,三,一九,在杭州。

夜宿海日樓望月

仰看天上,
月高我低。
月在城東,
人在湖西。

俯看水底,
月低我高。
月在湖心,
人在山腰。

舊夢

一人一月,
一天一水;
方位顛倒,
何來絕對?

一九二一,三,一九,在杭州。

明日春分了

檢花間日曆,
明日春分了,
料應有一半春光到眼。
等明朝早起,
問訊春光,
可曾到了一半?——
算落了桃花,
開過棠梨,
放到薔薇,
廿四番風剩九番。

舊夢

問今年早暖，
不算春寒，
爲甚地花開還比人歸緩?——
這無非量春的心地被春愁裝滿；
才覺得愁比春深，
春還有限。
待卸下春愁，
掃空心地，
準備把春光精探密算。
但過去的不留痕，
未來的不見影，
只恐這現在的花信，
又怎測得春深春淺?

一九二一，三，二〇，在杭州。

夢短疑夜長

剛睡了——就夢，

245

舊夢

剛夢了——就醒，

剛醒了——又夢。

如此夢夢醒醒,醒醒夢夢，

不過一個黃昏，

早被夢兒堆得疊疊重重。

到三更五更，

不知更幾度惺鬆，

幾回懵懂?

料這劃作睡神領土的十二時，

只拚着讓那一節節的夢兒，

擠得沒有些兒空。

夢之神呵!

你爲甚把夢兒劃得恁短?

『這不是我底夢短，

這是夜之神儘擴張他底占領

線。

夜長了，才覺得夢短。——
不信呵！儘你把夜間一秒一秒
地去算！』

夜之神呵！
你爲甚把夜間展得恁長？
『這不是我底夜長，
這是夢之神儘草創他底急就
章。
夢短了，才覺得夜長。——
不信呵！儘你把夢兒一個一個
地去量！』

夢短呢？夜長呢？
夢短了——疑夜長，夜長了——疑
夢短呢？
這長長短短底爭端，

舊夢

也不是算算量量，
能得到準準確確的評判。
只有做夢的夢中清楚，
　　　　　　醒後迷濛，
半明不白地作主觀的獨斷。
　　一九二一，三，二〇，在杭州。

春意

一

春意濃如此，
誰還禁得來？
東風偏懵懂，
不肯放花開。

二

試探花心事，
含羞不作聲；

憑伊瞞得緊，
漏洩滿春城。

三

深知花祕密，
第一蜜蜂兒；
除釀春成蜜，
從無吐露時。

四

昨夜無聲雨，
瞞人下一潮；
曉來藏不過，
滴滴在花梢。

五

忙煞雙蝴蝶，

花間空往來!
不如蜂有蜜;
創作乏天才。

六

要借絲絲柳,
來量春淺深;
柳絲抽盡了,
量不到花心。

一九二一,四,四,在杭州。

拔痛牙

你給我作了許多年的工,
我很感你:
你給我作了許多天的痛,
我又憾你。

我因爲禁不起你現在作的痛，
不能再念你從前作的工。
今天拔去了，
免得再讓你窩着一夥兒的蟲。

但是這幾十年來的咀嚼啃咬，
你畢竟不曾把我虧負。
就是現在蟲蛀了你，
也還因爲我不曾好好地把你保護。

一九二一，四，五，在杭州。

一個伊底話

兩心不能一，
一情不能兩。
我願長相思，
願你長相忘！

舊夢

我若不相思，
我心裏更將誰安放？
我願生抱相思眠，
　　死抱相思葬！
你若不相忘，
你心裏何處更將伊供養？
願你幷把相忘忘，
　　別作相忘想！
　　一九二一，四，一五，在杭州。

雨裏過錢塘江

幾潮急雨幾聲雷，
南面雲封北面開。
兩岸青山相對坐，
一齊看我過江來。
　　一九二一，四，二七，在錢塘江
　　舟中。

西渡錢塘江遇雨

風緊片帆飛舞，
人在江天闊處；
昂頭四顧，
雨——雨——雨。

西北一路雨，
剛到六和塔下住；
西南一路雨，
料向浦陽江上去；
東南一路雨，
挾著迴潮，把鱉子亹吞吐：
三面三路雨，
中間留一路。
風來雨未來，
讓我從容渡。

舊夢

渡——渡——渡，
剛到江船步；
雨顆大如珠，
一霎打頭如注。
來從哪一路?——
六和塔下，雨脚斜飛幾縷。

去也雨，
來也雨。
來去總淋漓，
怎不許晴乾一度?
也非不許，——
也許是有意催詩，慰我這獨行踽踽。

一九二一，五，三，在錢塘江舟中。

再造

當羣花齊放的時候,司春的神,在
花叢中徘徊着。忽聽得低低
的讚歎聲道:『好呀!燦爛的美
滿的花呀!』

司春的神,很滿意地微笑道:『這
是我底創作呀!這是我選取
自然之錦,用無痕之剪裁成,不
離之膠黏住,萬變之色染出,百
和之香薰透的呀!』

但不一會兒,就有切切的怨聲,從
花間吐露道:『誰鎖着我們呀?
飛了吧!』一瓣的花,翩翻地
飛了。

司春的神,不覺心痛道:『不聽命
　的花瓣兒,你破壞了我底完全
　了!』但又沒法兒招伊回來,只
　是凄凄楚楚地悲泣着。

許多的花瓣兒,互相耳語道:『飛
　是我們底自由呀!春底完全,
　已經被破壞於飛了的一瓣了!
　我們何苦依然犧牲了自由,維
　持這不可久的殘局呀!愛自
　由的,飛呀!』一瓣、兩瓣、三瓣、
　……無數瓣、紛紛地一齊都飛
　了。

司春的神醒悟道:『飛是伊們底
　自由呀!但是創作也是我底

自由,永久的完全,是不能有的;
繼續的創作,是不可無的呀!
自然之錦,是取之不竭的,過一
會兒,再造吧!』

風聲、雨聲、流水聲,送盡了瓣瓣的
落花。一羣能歌的鳥兒,在綠
陰裏唱着,慰勉那司春的神道:
『再造!再造!』

一九二一,五,六,在杭州。

陷阱

橫在當前的,是甚麼呢?
寶窟呀?仙宮呀?陷阱呢?
閃閃的黃金之光呀?孃孃的美人
之影呀?
險啊!你底被吸引的脚跟,被誘惑

的眼睛,被搖動的心旌!

努力啊!你從你底情慾裏——當
前的陷阱裏,拯拔了你底魂靈!
未知的淨土上的光明,正指示你
以唯一的,坦平的途徑。

一九二一,五,三〇,在杭州。

夢

爲甚麼在我這清虛的夢裏,
突然現出壯麗的瓊樓玉宇?
天外飛來似的,
你從你那被認爲眞實的塵境裏
移來居住。
你怎地弄些狡獪的神通,
剎那間莊嚴了我這夢底國土?

舊夢

爲甚麼你不肯長站在我醒時的
　面前，
卻愛常住在我夢中的眼底？
我是不慣獨居的我。
你是易惹相思的你。
難道我相思底磁力場，
只限於夢底領域裏？

假使我從我底相思裏解放了你，
你試想你將怎樣？
你將不能再在我夢裏徬徨；
我也將回復了我那夢底空曠。
但你旣不肯長站在我醒時的面
前，
我怎肯把你從相思裏解放？

一九二一，五，三一，在杭州。

舊夢

未知的星

一顆未知的星，
正循着未知的軌道遊行；
環繞着未知的太陽，
反射出未知的光明。

假如這未知的星上，
也有些未知的人；
正窺着未知的望遠鏡，
推測那未知的天文。

那麼，伊知道了已知的，
一定還有知道未知的希望；
而且他也知道已知的有限，
未知的卻是無量。

伊也許望着天空，

在那兒懸想:
這無量的未知的星中,
有一顆像我們這兒一樣。

於是伍從未知的愛裏,
放出未知的光;
經過無量的未知的空間,
到我們這一顆未知的星上。
一九二一,六,一,在杭州。

錢塘江上的一瞬

空中、拂拂的風,
江上、鱗鱗的浪。
風行、浪動,
岸來、船往。
兩岸南來船北往,
太陽西向人東向。

舊夢

對着我的太陽,
從空中照向江上:
在風行浪動裏,
現出閃閃的萬點金光;
在岸來船往裏,
電影似地跟着人眼簾平移過去,
　顯出一幅宇宙底遷流相。

從這遷流相裏,
截取彼底一斷片;
被你們認識的人生,
就不過這麼一點一閃。
但這一點一閃,
卻也光怪陸離,萬化千變。

　　一九二一,六,二,在錢塘江舟
　　中。

愛底根和核

貪婪的你，從我底懷中，取了愛去；

——

不，從我底愛裏，投入你底心、魂。

金剛石也似的你底心，被愛底烈

焰燒熔了；

天鵝絨也似的你底魂，被愛底熱

流浸透了。

燒熔了、浸透了的，還是你底心、魂

嗎？

與其說是你底心、魂，不如說是愛

底成分。

沒有無根的愛，也沒有無核的愛；

我是愛底根呀！你是愛底核呀！

一九二一，六，四，在杭州。

爲 甚 麼?

有 我,

爲 甚 麼?

眞?

假?

我 思,

我 在?

怎 不 容 疑?

我 豈 例 外?

胡 猜,

啞 謎。

本 不 是 謎,

從 何 猜 起?

舊夢

不是謎，

疑團一個。

爲甚麼？

這疑團打不破。

爲甚麼這疑團打不破？

一九二一，六，一七，在杭州。

爲甚麼？（附一）　肖舫女士

天天呆坐，

夜夜愁苦，

爲甚麼竟打不破這個悶葫蘆？

前有荊棘，

後有猛虎，

哪里來的乾淨土？

提起闊刀大斧？

斬去荊棘搏住虎：

用盡生平力，纔見光明路。

舊夢

爲甚麼徘徊躊躇,獨自怨苦?

殘月西沉,
曉風拂面:
嬌小的黃鶯兒蹈着朝露未乾
的樹枝,
儘量提着清脆的歌喉聲聲唱
念,
似乎道:不經過了可怕的昏夜,
怎顯得出這『熹微』曙光的分外
鮮豔!

爲甚麼?(附二) 曉風

官僚——人民,
富有——勞苦,
男人——女人,
少數——多數:

層層疊疊歷史如許,
為甚麼少數壓伏了多數也如
　許?

為甚麼意志自由天,總被慣習,
　制度,
破殘得女媧難補?
衝天意氣,也在『我們永遠是朋
　友罷』的言詞裏,
喊出無限的不平與怨苦!

為甚麼?(附三)　　楚偣

眼前的一切,
葉底的風,
簷前的雨,
鬼哭,
神號,

舊夢

狗吠,
狐鳴。
『爲甚麼』?
都是個啞謎!

過去的給現在猜破了,
是『不平則鳴』。
『爲甚麼』,
依然是個啞謎?

將來有一天平,便永久不鳴嗎?
不絕的將來,沒絕對的平。
『爲甚麼』,
到底是個啞謎!

扯破啞謎,割斷時間;
從有生到無生,

檢出個『爲甚麼』來，
說:『我猜的是這謎。』

為甚麼?(附四)　　蘇兆驤

花變成果子了，
果子給人們吃了;
爲甚麼傳佈花粉的蜂兒，
却繞着枝兒,採不到蜜了?

果子給人們吃了，
蜜也給人們吃了;
爲甚麼善於營造的蜂兒，
還安穩地住在人們底牢籠
裏?

人們把蜜吃了，
翻說雄蜂消耗了;

舊夢

為甚麼蜂兒尾上的刺，
只會做殺同胞的利器？

蜂兒鬧饑荒了，
人們底需求更甚了；
為甚麼蜜不該是蜂兒吃，
果子還不够做人們底奢侈
品呢？

愛

不曾見伊，
愛在哪里？
剛見了伊，
愛從何起？
既愛了伊，
愛何曾還在我心裏

舊夢

我在，

愛在；

沒伊，

沒愛。

愛不在我心裏，

愛又何曾在我心外！

有？

無？

愛不從無生；

愛不依有住。

待燒得愛河枯，

從哪里下炬？

一九二一，六，一七，在杭州。

愛（附）　　楚傖

愛從心上起，

271

舊夢

如何愛身外的伊?
愛從伊起,
如何伊常在我心裏?

『愛』底意義是『無』。
過後思量的聲音顏色,
愛……無!

世界有不消滅的『有』?
失望;
嫉妬;
怨而不怒:
都從『有』處砍下的斧。

罷了

罷了,誰說沒有了愛?
沒愛,制度怎地存在?

沒愛,制度怎地破壞?

罷了,制度原是愛底建築;
愛原是制度底基礎。
是制度沈沒了眞正的愛?
是愛鑄造了錯誤的制度?

罷了,春來了!
驕陽下照,溫流上冒,
中間的一層冰,
不消融,也就崩倒!

一九二一,六,一七,在杭州。

露底一生

幾滴的露:
有的在花心裏聚;
有的在花唇上吐:

舊夢

是誰作主?

聚的沁入花鬚;
吐的潤下花趺:
就乾枯,
也和花同化花下土。

不憑誰分付,
只是愛近花脣。
徼倖教花吸住,
到底在花懷抱裏,算這一生,不曾虛度!

一九二一,六,十七,在杭州。

『一知半解』

一年以前,我和幾位朋友們,曾經承一位二十年前極新的新人物,加以『學無本源,一知半解』的批評。

當時我覺得『一知半解』四字,在我身非常確當。所以現在倩一位同學刻了一方石章,作爲紀念;并寫了這首詩。

本來不可知,不可解的,
這無窮的世界。
況我這有限的人生,
又怎能知、怎能解?

知甚麼一?
解甚麼半?
憑何測量?
從何計算?

知、解——可,

舊夢

一、半——能；

知一解半，

不幸的人生！

『一知半解，』

人生不幸！

『生爲考語，

死作墓銘。』

銘曰：

『太上無知無解，

其次不知不解；

「一知半解，」

下之下者！』

一九二一，六，一八，在杭州。

羅曼的我

舊夢

也曾一口唾滅了日，
吞沒了月，
呵平了山，
喝乾了海；
更雙手撩開了天幕，
兩脚踢飛了地球。

* *

但這不過是一個打算，
——還沒成功的打算。

太狂了嗎?——
也罷，
我也曾鶯春雁夜，
燭底簾邊，
濁酒清歌，
淺斟低唱；
不許那花枝笑我，

277

鏡影窺人。

*　　　　*

但這不過是一個夢境，
——似有若無的夢境。

枉自豪氣干霄，
　　柔情沁石，
只贏得一聲羅曼！

*　　　　*

羅曼嗎?——
不然呵，
怎值得過這橫鐐豎鎖的一生?
　　一九二一，六，一八，在杭州。

秘密之夜

窺透了伊底秘密了，
從偶然微笑裏:

就是伊平日不曾漏洩的，
縱使千言萬語；
也是我平日不曾領會的，
縱使千探萬問。

這祕密原不是言語能宣露，
更不是探問能明白的；
就是微笑裏的窺透，
也只是有意無意的偶然。
偶然的微笑，
我感謝這祕密之夜底破曉。

一九二一，六，二〇，在杭州。

弔易白沙

這世界底一切——不可；
我以外，似乎一切都多。——
也許一切不多，

就多了一個——我!
不如讓一切存留,
只把這多了的我打破。

不!
肉的,物質不滅;
靈的,流轉不絕:
超靈肉的,一切即我,我即一切。
打破嗎?——
又何曾了結?

是誰殺人?——
歷史;
端陽、靈均、湘流、自沈,
暗示。
生生死死,
『名下固無虛士!』

一九二一，六，二八，在杭州。

車中的一瞥

斜對着我的一扇車窗，
玻璃上有幾道皺痕。
火車開着，車窗搖着，
一閃閃一地把窗外的自然，移成影：
近一點的樹，
展成幾摺的小圍屏；
遠一點的山，
簸成幾疊的小波紋：
雲、水、城、屋，
都不是平常形景。
請大家從這變的一隙裏，
經驗這動的一瞬！

一九二一，七，一，在滬杭車上。

月和相思

月兒說:『我慣在你們睡的時候醒著,你們當中,只有不愛睡的,才配作我底伴侶。親愛的伴侶們呀!可愛的光明,怎地能入你們清醒之眼呀! 我是不吝惜的。』

相思說:『我是不愛睡的,也是慣借着你底光,逗起人們底愛戀的。

但是我醒着的時候,差不多有一半是你躲着的時候。就是不躲着,向着人們的,也很少是整個的臉兒,怎還說不吝惜呀?』

月兒說:『我不醒着,怎惹得起愛戀?
我不躲着,怎惹得起相思?
長露着整個的臉兒,怎惹得起
愛戀的相思呀? 就算是我底
吝惜吧;沒我底吝惜,哪來的相
思呀? 相思呀,親愛的伴侶!』

相思沈默而無聲了,月兒驕矜而
自喜了。 遠遠地一抹微雲,襯
着幾點疏星,似乎在那兒微笑
着,悄悄地私語說:『羞啊,月兒!
憨啊,相思!』

一九二一,七,一〇,在杭州。

湧金門外

湧金門外,
西子湖邊:

舊夢

楊柳陰中，
鞭絲帽影：
藕花香裏，
蓮顆蓴羹：
夕照西沈，
游人未散。

*　　　　*

這是十幾年前的一回雅集，
而今記起。

敗瓦頹垣，
荒堤茂草：
流民樹下，
削竹搏泥；
丐婦船頭，
爬螺摸蛤：
雷峯孤塔，

冷眼看人。

*　　　　*

這是十幾年後的一度重來，
當初不曾料得。

從而今想像那記起的當初，
我也不堪回首！
問當初怎變了不曾料得的而今，
西湖也不忍開口！
回首也不堪，
開口也不忍，
只認取當前的雲散風流、星移月
　走！

一九二一，七，一一，在杭州。

心裏的相思

相思在你底眼底，

舊夢

你底耳際,——
不,只在你底心裏。

眼底,分明是纏緜的相思字;
耳際,分明是宛轉的相思調子:
但這不是相思。

說這不是,更何處有相思本體?
說這是的,又何曾表現得相思眞
諦?
眞正的相思,卻只在離見離聞的
心地。

兩心深處,各築起一所相思寶殿,
設起一個相思寶座,
我寶座上坐着你,你寶座上坐着
我,

只默默無言地相對坐,用甚麼音
　書唱和?

相思不曾有兩,你我居然兩雙;
偕倆底相思,造成心裏相思的伹
　倆。
伹倆偕倆,是一是兩?
　一九二一七,一,三,在杭州。

題裸體女像

從空虛混沌裏,
有了要有的光;
這是骨中骨、肉中肉的光體,
照著那獨居不好的亞當。

伊是誰?——
女人夏娃。

舊夢

是誰創造?——
神耶和華。

怎地是伊底眞?——
赤條條地裸露。
怎地是伊底善?——
純潔地無瑕,清白地不污。
怎地是伊底美?——
均勻地豐穠,繁複地屈曲。

不吃善惡樹上的果,
不用無花果樹底葉,
伊甸園中,
本是無遮的光明世界!

照着他底形像造女,
這眞是上帝底作品;

將生氣吹在伊鼻孔裏，
伊就成了有靈的活人!
一九二一，七，一五，在杭州。

自然底微笑

隱隱的曙光一線，在黑沉沉的長
夜裏，突然地破曉。霎時烘成
一抹錦也似的朝霞，彷彿沈睡
初醒的孩兒，展開蘋果也似的
雙頰，對着我微笑。

黃昏的一片淺藍天，一半被魚鱗
似的白雲籠罩，冉冉地吐出
一彎鉤也似的明月，彷彿含羞
帶怯的新婦，只露出一些兒眼
角眉梢，對着我微笑。

舊夢

鏡也似的平湖,映着胭脂也似的
　落照。 忽然幾拂輕風,皺起紗
　也似的波紋,彷彿曲終舞罷的
　女郎,把面罩籠着半嬌半倦的
　臉兒,對着我微笑。

一九二一,七,一八,在杭州。

無端的悲憤

　鏡也似地平,
　井也似地靜,
這樣的一顆心;
　無端橫風怒掃,
　　　逆浪奔騰,
湧起滿腔悲憤。

　爲甚?
悲也無因,

憤也無因;
赤裸裸的生平,
不曾享甚麼私恩,
啣甚麼隱恨。

除非花底聞歌,
酒邊看劍,
引逗得無始來癡難斷、嗔難忍。
但不慣尋花,
未能縱酒,
歌聲劍影,何曾有這前塵?

『放眼窺天地,
冥心數古今,』
算不多的幾個字曾經認;
錯教墮落作書生,
好容易幾生修到的庸庸福分,

舊夢

被『斯文』兩字，抵折消除盡。

這寃情，
倒也值得悲憤，
　倘前因後果果然眞。
　懺悔也無從懺悔，
只除是虛空粉碎，
　　大地平沈！
　一九二一，七，一九，在杭州。

石下的松實

一顆松樹，
落下許多松實；
不知何時，
被壓着一塊大石。
何曾沒有生機？——
只是橫遭抑塞！

憑他與鐵同堅、和山比重，

也難免苔鮮銷磨、冰霜剝蝕；

何況一齊向上，

有多少萌芽甲坼？

劃地一聲石破，

裂縫裏先迸出松苗千百。

努力呵，

別嫌路窄！

樹身撼動、樹根拱起，

把碎石次第排斥；

讓無數同根，

都化作長松百尺！

一九二一，八，二，在杭州。

秋意

舊夢

蟲聲滿耳,

午眠剛起;

開襟當風,

認取一絲秋意。

秋意秋意,

來從風裏;

是秋底意,風底意?——

畢竟起從心地。

一九二一,八,九,在杭州。

西湖的山水

聯緜委宛的山,

妥貼溫存的水;

人說『怪不得西湖女兒顏色美,』

我說『怪不得西湖男兒骨也媚。』

一九二一,八,一一,在杭州。

新秋雜感

一片片，
一重重，
蓬蓬鬆鬆，
濕雲滿空。

幾潮雨，
幾潮風，
把薄薄的新涼做就，
更一分一分地加重。

雁不曾來，
燕還沒去，
卻添了幾個驚秋獨早的可憐蟲。
也非促織，
也非絡緯，

舊夢

一味啼風泣雨,和人唧唧噥噥。

果然怕冷,
爲甚不做一點兒工?
甘心做個寄生蟲,
也不用號寒怨凍.

一九二一,八,一六,在杭州。

秋扇

一陣秋風,
收拾起多少團扇。
團扇團扇,
你爲甚遭人棄捐?——
不爲你質不美麗,
色不鮮妍;
只爲你嬌軀弱體,
不幸滿身皎潔被齊紈。

你看那些蒲、葵、蕉、麥，
只是自甘卑賤；
就嚴冬，也還借重他一番努力，
煽起滿爐熱燄。
果然忍得苦、耐得勞，
怕甚麼秋風離間？
越名貴也越是無能，
且莫把秋風怨！

一九二一，八，九，在杭州。

月兒又清減了

月兒，
你怎地又清減了許多了？
昨兒晚上，
不是還豐滿些嗎？

舊夢

才挨昨夜，

又是今朝，

哪堪明日呢，——

你這樣一天比一天地消瘦？

一分一分地清減了你底容光，

却一分一分地增加了我底悲哀。

悲哀是增加了，

我底心却被悲哀侵蝕垂盡了。…

一九二一，八，二七，在上海。

哀樂

一葉葉的西風，

擁着一翦翦芭蕉，

輕輕舞，

慢慢跳。

就這半晌纏綿，

也窺得透快樂底核心——苦惱。

一滴滴的秋蟲，
咽著一星星的涼露，
低低泣，
微微訴。
就這十分悽惻，
也認得到悲哀底緣起——歡娛。

要遣中年哀樂，
一任狂歌痛哭。
不過平添感慨，
陶寫怎憑絲竹？
除非肉長靈消，
却也禁得起享受這塵濁凡猥的
　厚福。

一九二一，八，九，在上海。

鄰居的夫婦

一邊簫鼓聲中，
一雙新夫婦在那兒嫁——娶，
一邊拳脚聲中，
一雙舊夫婦在那兒打——哭：
難爲佢新新舊舊，寃寃親親，
熱鬧煞這『望衡對宇』！

寃是親底結果，
舊是新底前車。
新的成親，舊的成寃，
操縱都憑制度。
服從了制度底權威，
怎怪得『夫婦之道苦』！

一九二一，八，二九，在上海白
爾路三益里。

舊夢

秋夜湖心獨出

被秋光喚起,
孤舟獨出,
向湖心亭上憑欄坐。
到三更,無數遊船散了,
剩天心一月,
湖心一我。
此時此際,
密密相思,
此意更無人窺破;——
除是疏星幾點,
殘燈幾閃,
流螢幾顆。

驀地一聲簫,
挾露銜烟,

一一

舊夢

當頭飛墮。

打動心湖,

從湖心裏,

陡起一絲風,一翦波。

彷彿耳邊低叫,

道『深深心事,

要瞞人也瞞不過。

不信呵,

看明明如月,

照見你心中有伊一個。』

一九二一,九,一六,在杭州。

爭光

只剩一抹斜陽了,

山呵,

你還攔住他做甚?

舊夢

晚霞很驕矜地說:
『斜陽去了,
有我呢!』

『羞啊,
一瞬的絢爛罷哩。』
月兒在東方微笑了!

羣星密議道:
『讓伊罷,
伊也不能夜夜如此呵!』

但還有幾顆不服的說:
『誰甘心讓哪!』
依舊亮晶晶地和月兒爭光。

一九二一,九,一七,在杭州。

國慶

從零零落落的幾十面五色旗，
　閃閃爍爍的幾百盞三色燈裏，
認識中華民國十年國慶。

『國且不國；
　慶於何有？』
我也不說這些話來敗你們底興。

常常聽得說：
『全浙江三千多萬人；』
爲甚麼只有這幾十位工人和幾
　百位學生？

　誰隔開了空間劃成甚麼國界？
　誰截斷了時間造出甚麼國慶？
　——

無非歷史上一時一地壯烈的犧
牲。
甚麼爲國爲民的犧牲,
何如爲世界爲人類的犧牲,
更來得烈烈轟轟?

打破國囚籠,
扭斷民鐐銬,
做個世界人是何等光明?

要給全世界人類創造光明,
只有再仗着壯烈的犧牲,
別開途徑。

歷史底意義是過去的,
人生底意義是未來的,
從過去中求得未來的教訓是什

麼?——革命。

一九二一,一〇,一〇,在杭州。

將來的人生

不是從前,

不是現在,

人生只是將來。

從將來認取人生,

我們要斬斷葛藤似的從前,

我們要看破錦繡似的現在。

爲甚要斬斷從前?——

我們要進取將來。

讓從前拖住了將來,

誰忍受這般罣礙?

爲甚要看破現在?——

我們要創造將來。
爲現在斷送了將來，
誰肯做這般賣買？

顧戀從前的是從前底奴隸，
貪圖現在的是現在底犧牲。
粉碎了從前、現在，
才露出前途無限的光明。

一九二一，一〇，二三，在杭州。

明知

明知今夜月如鉤，
怕倚樓頭，
卻立湖頭。

湖心月影正沈浮，
算不擡頭，

總要低頭。

不如歸去獨登樓，
夢做因頭，
恨數從頭。

胸中容得幾多愁，
填滿心頭，
擠上眉頭。

一九二一，一一，二，在杭州。

是誰把？

是誰把心裏相思，
種成紅豆？
待我來碾豆成塵，
看還有相思沒有？

是誰把空中明月,
捻得如鉤?
待我來摶鉤作鏡,
看永久團圓能否?
一九二一,一一,三,在杭州。

湖濱之夜

露重風嚴可奈何,
半規明月兒西蹉;——
夜深長抱西湖臥,
不及青山福分多!
一九二一,一一,九,在杭州。

地圖

『小弟弟,
我送你一幅地圖。』
『爲甚麽花花綠綠?

誰在這上頭亂塗?』

『不是亂塗,

這是標明各國底領土。』

『甚麼領土,

還不是大家有分大家住?

換一下吧,

難道沒有乾乾淨淨的一幅?』

『現在沒有,

將來或許……。』

『幾時才沒有顏色了?

我不愛瞧這些花花綠綠!』

一九二一,一二,六,在杭州。

黃金(一)

赤裸裸的人和人,

有甚麼寃親友敵?——

地不幸出產黃金,

舊夢

人不幸產在出產黃金的地！

黃金鑄就了人和人間底鎖鍊，
黃金又壘起了人和人間底障壁。
寃和敵不過是黃金底隔離，
親和友也不過是黃金底關係！

人嫌黃金少，
我厭黃金多。
要不磨滅了燦爛的黃金，
怎顯得出人生赤裸裸？

一九二一，一，二六，在杭州。

黃金(附) 平沙

——讀黃金贈吾友大白先生——

甚麼寃親友敵，
怎都是黃金底關係？

那麼,你有黃金給我嗎?
我又有黃金給你?

我不否認你黃金是『人和人間
　底鎖鍊』,
但你又怎能使我肯定彼是『人
　和人間底障壁』呢?
我們親眼看見了這著紅裙的
　觀音面前的童男女,你怎叫
　人專憶那鍍金的韋陀呢?
人間倘只有那韋陀,
那更有誰知道『人生底赤裸
　裸』?

黃金(二)

——答吾友平沙先生——

你不否認黃金是人和人間底鎖鍊,

舊夢

怎能不肯定黃金是人和人間底
　障壁?
障壁底隔離,
正因爲有鎖鍊底牽繫,

鎖鍊牽得越牢,
障壁隔得越厚。
不但隔離了寃和敵,
同時隔離了親和友。

鎖鍊、障壁,
原是一件東西。
從黃金陣外覷定了黃金陣裏的
　人們,
眼光怎回到除外的人們中的我
　和你?

313

舊夢

靈就算跳出黃金陣外,
肉又怎免得拖泥帶水?
誰不知道有赤裸裸的人生,
只當前横梗著黃金底魔鬼!

一九二一,一二,一五,在杭州。

雪後隔江山

斜日裏隔江多少亂山蒙雪,
似霓裳羽衣,無數羣仙高會;
離離合合的神光豔絕,
數甚麼人間粉黛!

一九二二,一二,一,在杭州江干。

旦晚

日落處——一線,
在西面天邊。

舊夢

這邊是晚,那邊是旦,
只差那麼一線。

趕上去,越過這一線吧,
這一線却跟著脚跟兒更遠。
晚呵,
你爲甚儘排擠那光明的旦?

前路沒遮攔,
旦也何曾怕晚?
繞個圈兒,
早又在東面天邊出現。

一九二二,一,二六,在蕭山。

壓歲錢

壓得歲住嗎,
這區區幾個錢?——

舊夢

怎奈他流水似的華年,
縱使千千萬萬。

金錢慣買空間,
但怎買得時間?
沒法留住現在,
何況使將來卻變從前?

只爭二十七日,
今朝又是年關。
愛守舊的,
也畢竟要過新年。

說甚麼舊習慣,
取巧吧,算能把新年賒欠。
但你們底生命中,
何曾有一節的縣延?

一九二二,一,二七,在蕭山。

春底消息

梅花告訴我:

『春光準備了——

來。

伊已經啓程了,

我是啣着先傳消息的使命的。』

但是夜來西北風狂似虎,

吹得雨珠兒都凍成了霰子;

烈烈獵獵地催着雪花下降;

擋着春光底駕呢。

伊底行期,

也許暫緩吧!

梅花說:

舊夢

『擋不住的，
伊是不怕冷的哪!
不信呵，
我怎地在嚴寒中放了呢?』
一九二二，一，三一，在蕭山。

熱

熱，熱，熱，
七十五——六度了。
北緯三十度零的地方，
立春後一星期的天氣。

月上了，
昏騰騰的；
雲合了，
陰沈沈的；
雨下了，

舊夢

沙沙的;

風起了,

獵獵的;

雷動了,

碚碚的;

電閃了,

煜煜的:

一霎時的事。

呵,月又出了;

雲又散了;

雨還飛着;

風還扇着;

雷還轟着;

電還掣着:

一霎時的事。

舊夢

三更後,
狂呼猛吼,
非常的大風:
樹拔了;
屋倒了;
船翻了:
一霎時的事。

這一霎時,
爲甚麼有這許多變動呢?——
別忘了,
熱,熱,熱。

一九二二,二,一〇,在蕭山。

春雨

從何處搜輯了無數淚珠兒,
灑作連絲春雨。

算讓他沁透了大地,

潑滅了地心火,

認春痕更從何處?

一九二二,二,一四,在蕭山。

夢底交通

誰鎖了我底夢門呢,

不讓我進去?

好容易進去了,

我底伊又被隔絕在外面了。

猜着了,

伊也正在伊底夢裏呢。

我出了我底夢,

也進伊底夢裏去吧!

出了我底夢,

就不能再進伊底夢裏去了。
誰鎖了伊底夢門呢，
不讓我進去？

除了夢裏，
沒有兩夢交通的路。
與其從夢外尋夢裏的伊，
何如從夢裏尋有伊的夢！
一九二二，二，二〇，在杭州。

遲了

『這就是……
快看！』
呵！遲了！
等你們趕上來，
只見了他底背，
不能見他底面了！

一九二二,三,一一,在杭州。

一閃

要認取斜陽最後的生命,
在鴉頭燕尾間的一閃;
要認取朝露最後的生命,
在花梢葉杪間的一閃!

人生也不過這麼一閃嗎?——
斜陽、朝露,
還有明朝,
人生底明朝呢?

一九二二,三,一七,在白馬湖。

心上的寫真

從低吟裏,
短歌離了伊底兩脣,

舊夢

飛行到我底耳際。
但耳際不曾休止，
畢竟顫動了我底心絃。

從瞥見裏，
微笑辭了伊底雙頰，
飛行到我底眼底。
但眼底不曾停留，
畢竟閃動了我底心鏡。

心絃上短歌之聲底寫真，
常常從掩耳時複奏了；
心鏡上微笑之影底寫真，
常常從合眼時重現了。

一九二二,三,二一,在白馬湖。

我悔了

舊夢

我悔了!
在田間散步的途中,
我折了一朵小小的豆花,
——一朵紅紫相間的可愛的
豆花。
但從伊底根上,
到我底手中時,
不過幾秒鐘;
咳!變了!
伊已經開始憔悴了!

我悔了!
伊已經憔悴了!
我悔了!
我縮短了伊底生命!
減少了伊底美的生活了!
我缺陷了全自然界美底一角了!

舊夢

我破壞了全自然界整個的美了!

我悔了!
伊已經憔悴了!
我悔也無益了!
我不能繼續伊底生命,
　延長伊底美的生活了!
我不能補足全自然界美底一角
　了!
我不能完成全自然界整個的美
　了!

我悔了!
伊已經憔悴了!
這是莫大的罪惡,
　　不可挽回的罪惡呵!
我悔了!——但也許無庸再悔了!

我由憔悴的伊而得到新教訓了！
我知道愛底占領，
就是愛底戕賊了！

呵！占領的愛呵！
　戕賊的愛呵！
不獨被愛者不能堪，
愛者尤其不能堪呵！
　　一九二二，三，二一，在白馬湖。

讀「慰安」

慰安：
　一字字，
　一行行，
都是淚；
　一字字，
　一行行，

舊夢

都是悔;

一字字,

一行行.

都是愛!

潛藏了三十多年的愛種,

萌芽了二十多月的愛苗,

縱然禁得春寒,

也難免幾分憔悴!

幸這番淚泉灌溉,

悔壤栽培,

怕不將來刦後花開,

花裏靈光,照徹世間世外!

要聰明,

才創造得愛;

成功也,

何曾敗?

舊夢

要英雄，
　才擔當得悔；
進步也，
　何曾退？
要精誠，
　才衝動得淚；
決心也，
　何曾餒？

生平歷史多珍怪，
　數縱橫危灘惡礁，
　　　　駭浪驚濤，
層疊波瀾生命海。
任半生百折千磨，
　　　百難千災，
　慣從一重重逆境中，
　開闢出一重重奇境，

329

舊夢

前途總有光明在。
　年來神風橫引,
　幾度離離合合,
早認取方丈蓬萊:
　而今重洋飛渡,
　到彼岸別開生面,
愛世界是無遮無礙。

我謳歌淚,
　淚也——
化作明珠,把黑暗排;
我謳歌悔,
　悔也——
築起高墳,把罪惡埋;
我謳歌愛,
　愛也——
摶成白日,把星辰代:

淚中是常新的現在，
悔中是有限的過去，
愛中是無窮的將來。
讀慰安者，
　也無從安慰；
作慰安者，
　也無庸安慰：
　好在填平缺陷，
　　　恢復瘡痍，
你自有生命流中，新潮澎湃！
　一九二二，三，二四，在白馬湖。

慰安(附)　　　玄廬

——謝楚傖先生底詩・假工薾文先生底信——

風雪關山、車輪帆影、往事從頭細
　數：

舊夢

整備淚珠三萬斛,櫻桃花下檢
情書;
只零箋剩墨,遺失了些,殘缺了
些,比春魂濃淡何如?
是胸中一幅愛情圖:
要不展開時,心樂裏鏦鏦錚錚
絕命詞——
若說展開時,紛紛碎碎亂雲鋪!
友來慰我,
正不知慰伊的人有也無?
待抖擻全神,把凡穢的情天改造
過!

一九二二,三,一二,衙前。

桃花幾瓣

虧煞東風作主,
春泥也分得桃花幾瓣,

舊夢

春水也分得桃花幾瓣。

怎禁得流落江湖，
浪翻潮捲?
春水無情，
忒送得桃花遠!

看春泥手段，
把桃花爛了，
護住桃根，
等明年重爛漫!

替桃花埋怨東風，
何苦讓春水平分一半!
就一齊化作春泥，
薄命也還情願!

一九二二，三，二七，在白馬湖。

333

別後

日也太短，

人也太遠；

不够相思，

何妨一日十三時？

月也太遲；

心也太癡；

團圞誤算，

錯把下弦當月滿！

一九二二，四，一九，在杭州。

春盡了

算三春盡了，

總應該留得春痕多少；

曉來檢點，

竟全被那細雨微風送掉!——
不留也罷,
卻拋下一團煩惱!

記得春深花好,
花是雙開,
人是雙歡笑。
到而今,
落花飛盡春無影,
只離愁填滿看花人懷抱!
果然喚得春回,
第一教伊,
帶了相思重上道!

一九二二,五,五,在杭州。

別(一)

月團圞,

舊 夢

人 邂 逅：

月 似 當 年，

人 似 當 年 否？

往 事 心 頭 潮 八 九，

怕 到 三 更，

早 到 三 更 後。

夢 剛 成，

醒 却 陡；

昨 夜 惺 忪；

今 夜 惺 忪 又。

病 裏 春 歸 人 別 久，

不 爲 相 思，

也 爲 相 思 瘦，

一 九 二 二，五，五，在 杭 州。

別（二）

舊夢

寄相思,
憑一紙:
只要平安,——
只要平安字。
隔日約伊通一次,
信到何曾,——
信到何曾是!

訂歸期,
還在耳:
也許初三,——
也許初三四。
未必魂歸無個事,
是夢何妨,——
是夢何妨試!

一九二二,六,三,在白馬湖。

337

伊不該給我呵

我能一無所有，
才能無所不有；
如果一有所無，
就難保所有不無了，

我把我所有的，
都給了伊吧；
我，
也給了伊吧！

*

伊給我甚麼呢？

伊不給我，
我就無所有了；
伊給我，
我就有所無了！

*　　　　*

伊不該給我呵!

一九二二,五,八,在杭州。

『不要倒霉』

『不要倒霉』嗎?——

我已經倒盡了霉了,

我哪里有霉給人倒呢?

我已經被霉倒盡了,

我哪里敢給人倒霉呢?

有霉給人倒的,

只有黃金;

敢給人倒霉的,

也只有黃金。

『不要倒霉,』

誰要倒霉呵!

現在社會制度之下,誰也不是不倒霉的。偏有些怕倒霉的,向倒霉的找倒霉,還說『不要倒霉』。咳!『不要倒霉』,別長跪在黃金之神的面前吧!

一九二二,五,二三,在蕭山衙前白屋。

想望

默默地想,
我只是默默地想。
想些甚麼?——
我不曾在心上記賬。
我明知想也無益,
但不想又將怎樣?
怎樣、怎樣,
默默地想,

我只是默默地想。

巴巴地望，
我只是巴巴地望。
望些甚麼?——
我不曾在眼上照相。
我明知望也無益，
但不望又將怎麼?
怎樣、怎樣，
巴巴地望，
我只是巴巴地望。

想也不是妄，
望也不是枉。
只有默默地想，
巴巴地望，
才作成人生底向上。

一九二二,五,二三,在蕭山。

謝夢中救我的女神

昨夜夢中,
無端地遭人搜捕:
幾回避匿,
幾度逃亡,
竟到了被逼自殺的最後。
其間累次救我出險的,
是一羣的女性,
——一羣執梃的女性。

最後的瞬間,
環顧圍繞着我的女性,
却一個也不曾相識。——
哦,愛之女神呵!
給我掃盪惡魔的愛之女神呵!

我底過去,
果然從愛神底腕下得救了!
我底將來,
也畢竟從愛神底腕下得救了!
一九二二,五,三〇,在白馬湖。

霞底謳歌

霞是最值得謳歌的:
當朝暾將出以前,
伊接受了光明底最先,
把最美麗的贈給我了;
當夕照既沈以後,
伊保留了光明底最後,
把最美麗的贈給我了:
霞是最值得謳歌的!

霞是最值得謳歌的:

舒卷著的，
伊能對我低飛慢舞，
彷彿靈娥底倩影；
烘暈著的，
伊能對我薄羞淺笑，
彷彿稚女底憨態：
霞是最值得謳歌的！

霞是最值得謳歌的：
伊是美和真兼愛的藝術家，
能創造種種的畫幅，
給我以靈肉一致的慰安；
伊是華和實並崇的科學家，
能分析種種的光波，
給我以色相都空的智慧：
霞是最值得謳歌的！

霞是最値得謳歌的:
燦燦爛爛的,
伊底朝朝暮暮,
作我朝朝暮暮的伴侶:
變變幻幻的,
伊底東東西西,
作我東東西西的樞機:
霞是最値得謳歌的:

一九二二,六,一,在白馬湖。

花間

花間

醉向落花堆裏臥：
東風憐我，
更紛紛亂紅吹墮，
碎玉零香作被窩。

愛花不過，
夢也花間做，
醒來不敢把假麼塗，
正一雙胡蝶眉心坐。

一九二二，四，一〇，在白馬湖。

不住的住

一座洞橋底橋洞下：
一帶很長的竹排，

向東過着；
一個撐竹排的，
在橋洞下、竹排上，
雙手撐住一條竹篙，
拄在橋洞傍石縫裏，
一步一步地向西跨著。
竹排兒儘向東過，
脚步兒儘向西跨；
人身兒卻儘在——
洞橋底橋洞下。

不努力嗎?——
他儘努力著。
不前進嗎?——
他儘前進著。
爲甚一步一步地努力前進的他，
儘在洞橋底橋洞下?

舊夢

一九二二,八,一四在蕭山舟中。

西湖秋泛(一)

蘇堤橫亘白堤縱:
橫一長虹,
縱一長虹。

跨虹橋畔月朦朧:
橋樣如弓,
月樣如弓,

青山雙影落橋東:
南有高峯,
北有高峯。

雙峯秋色去來中:

去也西風,

來也西風。

一九二二,八,一六,在杭州。

西湖秋泛(二)

厚敦敦的軟玻璃裏,

倒映著碧澄澄的一片晴空:

一疊疊的浮雲,

一羽羽的飛鳥,

一彎彎的遠山,

都在晴空倒映中。

湖岸的,

葉葉垂楊葉葉楓:

湖西的,

葉葉扁舟葉葉篷:

掩映著一葉葉的斜陽,

舊夢

搖曳著一葉葉的西風。

一九二二,八,一六,在杭州。

秋燕

雙燕在梁間商量著:

『去不去?.

去不去?』

伊說:

『不要去!

不要去!』

他說:

『不如去!

不如去!』

最後,同意了:

350

「一齊去！

一齊去！」

雙燕去了，

把秋光撇下了。

一九二二，八，一六，在杭州。

斜陽

雲——一疊疊的，

打算遮住斜陽；

然而漏了。

教雨來洗吧，

一絲絲的；

然而水底也有斜陽。

黃昏冷冷地說：

『理他呢，

斜陽罷了！』

不一會兒，

斜陽倦了，

——冉冉地去了。

一九二二.八，一七，在杭州。

歸夢

枕頭兒不解孤眠苦，

驀逗起別離情緒；

相思何處訴，

向夢裏別尋歸路。

雖則軟魂如絮，

複水重山攔不住；

和風和雨，

飛過錢塘去。

一九二二，八，二二，在杭州。

答惡石先生底讀「秋之淚」

讓秋之淚獨流吧！
淚不許，
秋也不許。——
我也知秋之淚是不獨流的。

我也知秋之淚是不獨流的。
說是偶然，
偶然的淚多著哩，
何必讀秋之淚？

不忍秋之淚獨流的，
最是鏡中人。
你是鏡中人嗎，

舊 夢

讀秋之淚而流淚的？

我不是鮫人，
我只是淚人——秋之淚人。
淚人流淚，
是我底分內。

人都是有淚種的，
不過不都是情種罷了。
不是情種，
怎能下同情之淚呢？

與其說血淚是夕陽似的，
不如說血淚是洪水似的。
洪水似的血淚，
才染得紅大地呀！

淚如果忍得回去，
秋之淚也可以不作了。
淚即使忍得回去，
愛也不能借秋之淚而表現了。

長虹是脆弱不過的，
一轉瞬就滅了。
不如淚受秋陽熱力而狂沸時，
也許能使魑魅罔兩就烹呢！

如果海非淚所成，
怎地和秋之淚同味呢？
有海可歸，
秋之淚所以不能不流了。

我也知秋之淚是不獨流的。
沒有同情之淚，

只是獨流，
到底不能成海呵！

假如秋之淚果然獨流了，
倒是一個奇蹟！
然而秋之淚總多少帶幾分磁性
　的，
哪許獨流呢？

淚下，
只是肉底本能；
能使秋之淚下，
却是靈底本能。

不是心靈相見，
不能使秋之淚不許獨流的。
心靈怎能相見？

就從秋之淚中相見呵!

一九二二,九,一,在蕭山。

洪水

幾疊的雲、幾滴的雨罷咧,
然而洪水來了。

一度、兩度、三四度,
舊的未退,
新的又漲了!

田沈了,
稻浸爛了;
路沒了,
屋衝坍了。

人也漂流去,

舊夢

倒也罷了;
剩下這沒飯吃,沒屋住的人們,
是洪水底洪恩嗎?

浸爛了稻,
衝坍了屋,
不過今年沒租收罷哩。
人也漂流去,
誰向財主們還明年的租呢?

人不漂流去,
不是洪水底洪恩,
還是財主們底洪福呵!

洪水為災,
今年的災罷咧,
然而明年的洪水也早來了。

明年的禮，
今年借了；
沒飯吃、沒屋住的人們，
別只怨今年的洪水呵！

一度、兩度、三四度，
還有預支明年的第五度咧，
今年的洪水未退，
明年的洪水又早漲了！

一九二二，九，一四，在蕭山。

如此

如此，
只合如此嗎？
誰教如此儘如此呢？

『向來如此，

　只得如此。』

誰教向來儘如此呢？

『大家如此，

　只得如此。』

誰教大家儘如此呢？

『不如此，

　就是叛逆。』

對於誰叛逆呢？

縱的——歷史，

橫的——環境，

縱橫之間的我呢？

叛逆的，

與其說是天才，

不如說是『我』底不敢埋沒。

向來有向來底如此，

大家有大家底如此，

我也有我底如此。

我底如此，

從向來和大家底墳墓中逃出來，

叛逆嗎?——

自救罷咧!

一九二二，九，一五，在蕭山，

秋之別

秋風也不回頭，

秋水也不回頭，

只愛送將人去海西頭。

舊夢

前夜也月如鈎，
昨夜也月如鈎，
今夜偏偏無月上簾鈎。

人去也倦登樓，
月黑也倦登樓，
却怕歸魂飛夢墮層樓。

一九二二，九，二〇，在蕭山。

債

重重地、緊緊地壓住我肩頭的，
是甚麼呢？——
債呵！

有主的債，
是還得了的；

舊夢

無主的債，
還得了嗎？

做一天人，
還一天債，
欠一天債，
除死方休吧！

死了，
休了，
債也許依然不了咧！

還有來生嗎？——
來生怎了得今生債呢？
試看今生，
又何曾了得前生債呢？

今天也許有明天，
今生還只是今生；
今天分明有昨天，
今生却只是今生。

且莫管——
今生怎了前生債；
更莫管——
來生再了今生債！
一九二二，九，二四，在蕭山。

土饅頭

『城外多少土饅頭，
城中都是饅頭餡。』
饅頭呵，
土越貴，餡越賤了！

充不得飢的土饅頭，

一天天、一年年地增添，

快占盡了小小蒸籠裏的土片。

將來拿甚麼養活那饅頭餡？

一九二二，九，二四，在蕭山。

冬夜所給與我的

涼秋的微風，

拂著——輕輕地，

卻深深地沁我骨了。

殘夜的微月，

映著——淡淡地，

卻深深地醉我心了。

遙空的微雲，

裊著——疏疏地，

卻深深地移我情了。

・

淸流的微波，
皺著——淺淺地，
卻深深地動我魄了。

輕輕地、淡淡地、疏疏地、淺淺地——
伊表現的風格是那樣；
深深地——
伊給與的印象怎又是這樣呢？
一九二二，九，二八，在紹興。

汽船中的親疏

不滿二丈長、六尺闊的一間小艙
裏，
團坐著二十多個的旅客：
你擠著我；

舊夢

我擠著他;
他擠著伊;
伊擠著佢們:
緊緊地擠著——
有甚麼吸引著似地,
好親切啊!

不滿四尺長、二尺闊的兩張小桌
下,
亂堆著三十多件的行李:
你的壓著我的;
我的壓著他的;
他的壓著伊的;
伊的壓著佢們的:
密密地壓著——
有甚麼牽合著似地,
好親切啊!

舊夢

當船開著的時候，
旅客們相互環顧了：
你瞅著我；
我瞅著他；
他瞅著伊；
伊瞅著佢們：
冷冷地瞅著——
有甚麼間隔著似地，
好疏遠啊！

當船停著的時候，
行李們開始告別了：
你的離著我的；
我的離著他的；
他的離著伊的，
伊的離著佢們的：

紛紛地離著——
有甚麼驅遣著似地，
好疏遠啊！

一九二二，九，二八，在蕭紹汽船中。

整片的寂寥

整片的寂寥，
被點點滴滴的雨，
敲得粉碎了，
也成爲點點滴滴的。

不一會兒，
雨帶著寂寥到池裏去。
又成爲整片的了；
寂寥卻又整片地回來了。

一九二二，九，二八，在紹興。

包車上的奇蹟

丁——當——

包車底鐘兒打著。

回頭一看:

一個短衣赤足的坐着,

一個短衣赤足的拉着;

坐着的笑着,

拉着的也笑着:

他們以爲這是一個奇蹟哩!(註)

奇蹟嗎?——

不算吧!

短衣赤足的坐着,

長褂皮鞋的拉着,

許是一個奇蹟哩!

這也不算吧;

誰也不坐人拉的車，
誰也不拉人坐的車，
這才是一個奇蹟哪！

（註）這是八月間在杭州所見，現在從記憶的印象裏寫出來。

一九二二，九，二九，在紹興。

腰有一匕首

腰有一匕首，
手有一樽酒；
酒酣匕首出，
仇人頭在手。

匕首復我仇，
樽酒澆我愁；
一飲愁無種，
一揮仇無頭。

匕首白如雪，
樽酒紅如血；
把酒奠匕首。
長嘯暮雲裂。

一九二二，九，二九，在紹興。

九年前的今夜

九年了，
第十回了，
——今夜。

九年前，
第一回的今夜，
圓成了我們底愛。

花開了，

無此爛漫；
月滿了，
無此團欒：
甜蜜的回憶中的今夜。

一九二二，一〇，一五，在杭州。

謝T·H的信

T·H，
你在愛我，
我也明知你在愛我，
我也似乎感激你底愛我；
然而我是有戀人的呢。
慚愧我這狹窄的心宮，
容不了兩個戀人：
已經住下了一個戀人——伊，
再也住不下第二個戀人——你了。
恕我吧，

舊夢

我不能接受你底愛——
不,我也不願接受你底愛呀!

我已經接受了伊底愛,
伊已經住在我底心宮裏了;
伊已經接受了我底愛,
我也已經住在伊底心宮裏了。
心宮裏住著伊的我,
才配住在伊底心宮裏;
我怎能心宮裏住了你,
卻去住在伊底心宮裏呢?
恕我吧,
我不能轉移我底愛——
不,我也不願轉移我底愛呀!

我不願接受你底愛,
正如伊不願接受誰底愛;

舊夢

我不願轉移我底愛，
正如伊底不願轉移伊底愛。
即使你願住在我底心宮裏，
我怎能不留伊住在我底心宮裏
　呢？
即使你可以和伊同住在我底心
　宮裏，
我怎能同時分住在兩人底心宮
　裏呢？
恕我吧，
我不能擘分我底愛——
不，我也不願擘分我底愛呀！

如果說你愛我是你底自由；
然而我不愛你也是我底自由呀，
　我愛伊也是我底自由呀，
　我和伊互愛更是我倆底自由

舊夢

呀！
戀愛底自由，
是戀人間人格合一的自由；
片戀的不但只表現戀愛底片面，
也只表現自由底片面呢！
恕我吧，
算我不成全你底自由吧，
算我不讓你侵犯我倆合一的自
由吧！

如果你不知道我是有戀人的，
你底愛不過是錯誤；
如果你明知我是有戀人的，
你底愛不免是罪惡了。
在互愛中再有所愛，
是對於貞操的叛逆；
於互愛間再參以愛，

也是對於貞操的擾亂呀!
恕我吧,
算我只尊重我底貞操吧,
算我不願得貞操酬答你底愛吧!

這是一個引誘呵,
使我明知你在愛我;
這是一個離間呵,
使我似乎感激你底愛我!
然而你不能從我底心宮裏侵入
　你底愛,
你也不能從你底心宮裏吸收我
　底愛;
你不能從我底心宮裏逐去了我
　底伊,
你更不能從伊底心宮裏刼取了
　伊底我呀!

舊夢

恕我吧，

算你浪費了你底愛吧，

算我孤負了你底愛吧！

愛底給予，

似乎是奇恩異寵哩；

愛底拒絕，

似乎是嚴刑峻罰哩。

然而濫施的恩寵，

是只能換得自取的刑罰的呀！

你底恩寵是濫施了，

你底刑罰是自取了！

恕我吧，

願你收回了你濫施的恩寵吧，

願你避免了你自取的刑罰吧！

說我無情，

舊夢

我可不是無情;
說我有情,
我對你可不是有情。
如果從無情到有情,
我對得起你——可對不起伊了;
如果從有情到無情,
我對不起伊——也就是對不起你
了。
恕我吧,
願你無情吧,
願你能我也似地無情吧,

戀人是不可無一不能有二的哪!
我這本來空虛的心宮裏,
已經住下一個戀人了;
我底心宮充滿了,
我底心宮之門鎖閉了。

379

舊 夢

你底愛影不能投入我底心宮了，
你底愛鑰不能開我心宮之門了。
戀人是不可無一，不能有二的哪！
恕我吧，
願你別尋空虛的心宮去吧，
願你別尋不曾鎖閉的心宮之門
　去吧！

再決絕地說吧：
即使我還沒有戀人，
啓我心宮之鎖的，
也未必就是你底愛；
即使人們真有來生，
我也不願說甚麼來生空虛著心
　宮，
再準備容納你底愛。
你也不必恨甚麼相逢何晚，

你也不必望甚麼來生可卜呀!
恕我吧,
算喈倆都是有情人,
喈倆可都不是有緣人哩!

一九二二,一一,二,在白馬湖。

紅樹

謝自然好意,
幾夜濃霜,
教葉將花替!

算秋光不及春光膩;
但秋光也許比春光麗;
你看那滿樹兒紅豔豔的!

一九二二,一一,三,在白馬湖。

月下的相思

舊夢

寫眞鏡也似的明月，
把我倆底相思之影，
一齊攝去了。

從我底獨坐無眠裏，
明月帶著伊底相思，
投入我底懷抱了。
相思說：
『伊也正在獨坐無眠呢！』

只是獨坐無眠，
倒也罷了；
叵耐明月帶著我底相思，
又投入伊底懷抱！

爲甚使我也獨坐無眠，
伊也獨坐無眠？

382

搬運相思的明月呵!
答謝你的,
該是謳歌呢,
還是呪詛?

一九二二,一一,三,在白馬湖。

雪

耀花人眼睛的:
銀子也似的白,
米粉也似的白,
棉花也似的白。

如果這些眞是銀子,
窮的都要搶著使了。——
啊,輪不到窮的,
金錢富有的早搶著盤到庫裏去
了。

舊夢

如果這些眞是米粉,
餓的都要搶著喫了。——
啊,輪不到餓的,
酒肉醉飽的早搶著囤到倉裏去
　了。

如果這些眞是棉花,
凍的都要槍著穿了。——
啊,輪不到凍的,
狐裘輝煌的早搶著堆到棧裏去
　了。

盤在庫裏的,
囤在倉裏的,
堆在棧裏的,
怎不雪也似地徧地鋪著呢?

一九二二，一二，六，在蕭山。

時代錯誤

至少吧，——時代錯誤吧，
這是個百年以後的人。
一個百年以後的人，
回到百年前的今日，
伴著些墟墓間的行屍走肉，
怎得不寂寞而煩悶呵！

一九二二，一二，一二，在杭州，

不肖的一九二三年

一九二二年底遺囑說：
『一九二三年呵！
你雖然是我底兒子；
但是我願你別再像我！
我希望你別再作我底肖

子了!

我是個不長進的老子呵!

一九二三年說:

『我也很不願作你底肖子呢。

然而你所遺傳給我的——

不長進的血輪,

不是太多了嗎?

你所遺留給我的——

不長進的環境,

不是太難了嗎?

『不但你的:

你以前的——

一切不長進的血輪,

都遺傳給我了;

你以前的——

舊夢

一切不長進的環境，
都遺留給我了。

『不長進的血輪，
充滿着吾身以內；
不長進的環境，
圍繞着吾身以外：
怎地教我能長進呢？
怎地教我不像你底不長進呢？
怎地教我不像你以前的一切
的不長進呢？

『向前努力奮鬭的我：
惰性發作了，
被不長進的血輪牽掣著；
阻力發生了，
被不長進的環境壓迫著。

387

舊 夢

啊！別再作你底肖子嗎？——
你對於我的期望多麼厚，
然而你所給與我的障礙多麼
　重啊！

『然而我是絕不願作你底肖子
　的。
我很願廓清我底血輪——一切
　遺傳的血輪，
　　創造新生的血輪！
我很願摧陷我底環境——一切
　遺留的環境，
　　創造新生的環境！
我很願把不長進的血輪化作
　你送死的犧牲！
我很願把不長進的環境化作
　你殉葬的芻靈！

好容我盡這不肖子底責任!』

一九二二,一二,三一,在蕭山。

白天底蠟燭

白天哪,
爲甚麼點起臘燭來呢?

我也知是白天哪,
但是我怎地瞧不見人影呀!

哦,黑暗之幕,
罩住了白天之面了!

點起蠟燭來,
也許透過黑暗之幕而見到幾個
　人影吧。

舊夢

不錯，
燭光裏閃動着的是些甚麼呵？

許是人影吧，
前途似乎有幾個哪。

前途——只有前途，
似乎有幾個人影。

然而模糊得很啊，
燭光畢竟微弱呢！

一九二三，一，一二，在杭州。

成虎不死

成虎，
一年以來，
你底身子許是爛盡了吧。

然而你底心是不會爛的,
活潑潑地在無數農民底腔子裏
　跳着。

假使無數農民底身子都跟着你
　死了。
田主們早就沒飯吃了,
假使無數農民底心都跟着你底
　身子死了,
田主們卻都可以永遠吃安穩飯
　了。
然而不會啊!

田主們多吃了一年安穩飯,
卻也保不定還能再吃幾年的安
　穩飯。
你底身死是田主們底幸,

舊夢

你底身死心不死，

正是田主們底不幸啊！

一九二三，一，二四，在杭州。

假裝頭白的青山

青山，

你羡慕人間的白頭人嗎？

也假裝起頭白來了。

一輪紅日，

消磨了你假裝的白髮，

怕不還你個青春年少。

一九二三，二，五，在蕭山。

耶和華底罪案

耶和華眞多事啊！

粗製濫造些畸形的人類出來。

舊夢

耶和華眞多事啊！
粗製濫造了一個畸形的亞當，
還要粗製濫造出一個畸形的夏
　娃來。

耶和華眞多事啊！
粗製濫造了畸形的亞當、夏娃，
還要使伲們粗製濫造些畸形的
　男男女女出來。

自從耶和華一番多事，
畸形的男男女女底交涉，
再也打不淸了。

多事的耶和華呵！
如果眞有末日審判，

舊夢

這正是你數不清的罪案呵!

一九二三,二,六,在蕭山。

雪後晚望

戴着殘雪的青山,

別嫌遲暮吧!

明媚的晚霞,

正對着你微笑呢。

消受得晚霞底一笑,

也不必抱怨殘雪了!

一九二三,二,六,在蕭山。

醉後

醒也不尋常,

醉更淸狂,

記從夢裏學荒唐,

除卻悲歌當哭外,

舊夢

哪有文章?

恨要淚擔當,
淚太匆忙。
腹中何止九迴腸?
多少生平恩怨事,
仔細評量。

一九二三,二,六,在蕭山翔鳳。

送斜陽

又把斜陽送一回,
花前雙淚爲誰垂?——
舊時心事未成灰。

幾點早星明到眼;
一痕新月細於眉:
黃昏値得且徘徊!

一九二三,三,一九,在紹興。

花前的一笑

沒來由呵,
忽地花前一笑。
是爲的春來早?
是爲的花開好?
是爲的舊時花下相逢,
重記起青春年少?——
都不是呵,
只是沒來由地一笑。

爲甚不遲不早,
恰恰花前一笑?——
靈光互照,
花也應相報。
悄悄,

沒 個 人 知 道。

到 底 甚 來 由?

問 花 也 不 曾 了 了。

一 九 二 三,三,二 〇,在 紹 興。

春 半

春 來 花 滿;

花 飛 春 半:

花 滿 花 飛,

忙 得 東 風 倦。

開 也 非 恩,

謝 也 何 曾 怨?

冷 落 温 存,

花 不 東 風 管。

一 九 二 三,三,二 一,在 紹 興。

舊夢

生命之泉

生命之泉，
從滿汲的生命之瓶裏漏洩了。——
不，也許是盈溢哩。

漏洩也罷，
盈溢也罷，
總之生命之泉不安於生命之瓶
　了。

已經春半了，
花開無幾，
也太寂寞啊！
於是血花忍不住——飛濺了。

眼底的淚閘，
不曾閉得；

舊夢

喉間的血閘，
却又開了。

人都說『紅是可愛的；』
猩紅的血，
爲甚使人可怕呢？

滔滔滾滾的血浪，
染紅了大地，
倒也罷了；
可惜只是斑斑點點的！

未吐的時候，
血是我的，
已吐的時候，
血還是我的嗎？

舊夢

離開了生命之瓶，
就不是生命之泉了；
減少了生命之泉，
快要不成爲生命之瓶了。

泉和瓶脫離了，
兩者都不成爲生命；
那麽，生命畢竟是甚麽呵？

一九二二，三，二四，在紹興。

門前的大路

門前的大路，
你儘躺在地下，
讓千千萬萬人踐踏着，
不太辛苦嗎？
站起來歇息一下吧！

舊夢

大路呵，
你試試看！
如果站起來，
比青山還高呢，
何苦這樣埋沒着呵？

『我本來站着的；
站得不耐煩了，
才躺下來歇息着。
而且我不躺下，
千千萬萬人無路可走呢。』

不，光明是在站着的路上的；
躺着的路上，
前途得不到光明。
梯子也似地站起來吧，
從向上的路上給與我們光明呀！

401

一九二三,三,二六,在紹興。

渡春

一隻沒蓬的小船,
被暖溶溶的春水浮著:
一個短衣赤足的男子,
船梢上划著;
一個亂頭粗服的婦人,
船艙裏槳著;
一個紅衫綠褲的小孩,
被伊底左手挽著,

伊們一前一後地划著槳著,
嘈嘈雜雜地談著,
嘻嘻哈哈地笑著,
小孩左迴右顧地看著,
癡癡憨憨地聽著,

咿咿啞啞地唱著:
一隻沒蓬的小船,
從一划一槳一談一笑一唱中進
行著。

這一船裏,
充滿了愛,
充滿了生趣;
不但這一船裏,
但們底愛,
但們底生趣,
更充滿了船外的天空水底:
這就是花柳也不如的春意!

一九二三,三,二九,在蕭山舟
中。

疑懷之夢

舊夢

也許枕頭邊。
是夢來時路；——
挨向枕頭邊，
夢也無尋處。

夢裏果相逢，
我準留伊住；——
夢裏便相逢，
留也無憑據。

一九二三，四，一三，在紹興。

春寒

春寒如此，
悴憔的我，
荏弱的花，
一齊知道；——
也許春卻不曾知道。

舊夢

爲甚春寒如此?
懵懂的我,
伶俐的花,
一樣不曾知道;——
也許只有春知道。

彷彿嫌春太早,
彷彿嫌春易老;
料峭的風,
廉纖的雨,
都借作春寒材料。

我還睡覺衾單,
　　起驚衣少;
禁不起呵,
何況赤條條,

第一防花病倒!

一九二三,四,一四,在紹興。

春雨

均匀呵,

春雨;

然而爲甚不曾霑潤到——

我這枯燥的心上?

輕細呵,

春雨;

然而脆弱的花心,

卻嫌你重了。

繁碎呵,

春雨;

然而獨生無眠的我,

卻只得到異樣的寂靜。

一九二三,四,一六,在紹興。

得到……了

得到黑暗了,

從光芒四射的電燈光下。

得到貧乏了,

從燦爛奪目的黃金窟裏。

得到孤寂了,

從肩摩轂擊的人海中。

一九二三,四,一六,在紹興。

故鄉

山也依舊,

水也依舊,

舊夢

城市也依舊,
村鎮也依舊,
只覺從這些『依舊』中,
缺了些甚麼,
多了些甚麼。

不相識了,——
不,自始不曾相識;
我底靈魂中,
自始不曾見到這些呵。
『我尋我所不能得的,
我得着我所不尋的,』
這原來不是我底故鄉呵!
一九二三,四,一六,在紹興。

『龍哥哥,還還我!』

『龍哥哥,還還我!

　龍哥哥,還還我!』
這樣高抗激越的呼聲,
我們在四更以後、太陽將出以前,
隨處可以聽到;
只消不是酣睡沈沈的。

這是報曉的雞聲啊!
這是破夢的雞聲啊!——
不是吧,
雞聲確是雞聲;
然而雞爲甚麽要給人們報曉呢?
　　雞爲甚麽要給人們破夢呢?

聽着,這高抗激越的呼聲:
『龍哥哥,還還我!
　龍哥哥,還還我!』
這分明在那里索債呢?——

索的甚麼?——
原有的雄雞之角。

原來古代的雄雞,
是頭上長着一隻角的;
古代的龍,
頭上也只長着一隻角:
但倆底形體雖然不同,
兩只獨有的角却是相同的。

龍不耐煩再在地上了,
打算到天上遊戲去。
然而上帝不允許呢:
『你要到天上來,
非頭上戴着雙角不可!
一角的龍是辱沒天國的。』

舊夢

倔強的龍，
不聽上帝底禁令，
決意飛騰了，
然而不成啊，
飛騰又飛騰，
畢竟進不得天門。

於是龍也無法了，
深恨自己底頭上，
爲甚麼不再長一隻角呢？
如果再有一隻角，
即使上帝不允許，
也許可以衝破天門呀！

「不錯，
雄雞底頭上，

不是長着一隻和我同樣的角
　嗎?
他雖然長着雙翼,
卻只是願在地上伴着雌雞遊
　戲的;
我何不向他一借呢?』

龍就開始和雞聯絡了:
『雞弟弟,
　我們頭上長着同樣的角,
　我們拜了把子吧!』
這樣的屈尊,
居然使雄雞感動了。

龍哥哥,
雞弟弟,
把子是拜定了。

哥兒倆一遞一聲地叫着，
親熱得很哩，
雄雞得着高貴的朋友了！

龍就開始和雞交涉了：
『雞弟弟，
我打算到天上去旅行一次。
然而天門堅固得很，
非有兩只角不能衝破；
可恨我只有一隻角呢！』

『龍哥哥，
偺們哥兒倆要好得很；
你底事就是我底事呀！
我這隻同樣的角，
暫時借你一用吧；
你回來時還我就得了！』

『可感呵，

　好弟弟，

　你底成全我呵！

　我於日落後乘着黑衝進天門

　　去，

　再於日出前乘着黑回到地上

　　來，

　就可奉還你底尊角了。』

幸運的龍，

頭上戴着雙角，

欣欣得意地飛騰着上天去了。——

漫漫的長夜垂盡了，

然而雄雞底角，

這久假不歸地一去不返了，

舊夢

一夜、兩夜、三夜……

龍畢竟不曾戴着雄雞底角回到
　地上來。

於是雄雞急了，

於侵曉時開始叫道：

『龍哥哥，還還我！
　龍哥哥，我底角還還我！』

天上的龍，

老不回來；

地上的雄雞，

就成了侵曉時叫着索債的習慣
　了：

『龍哥哥，還還我，
　龍哥哥，我底角還還我！』

一九二三，四，一七，在紹興。

415

蔓夢

我底故鄉

我底故鄉在哪裏?——
我是生長於夢中的,
夢是我底故鄉喲!

我底故鄉在哪裏?——
我是從『未來』旅行到此的,
『未來』是我底故鄉呵!

人人都有故鄉;
漂流的我,
似乎也得創造出一個故鄉來。

夢是創造的,
『未來』是創造的,
我把我底故鄉建築在那裏了。

誰把我驅逐於夢以外呢?

誰把我驅逐於『未來』以前呢?

在現在的清醒中漂流的我呵!

一九二三,五,七,在紹興。

紅色

紅色的新年

一九一九年末日底晚間，
有一位拿鍾兒的，
　一位拿鋤兒的，
黑漆漆地在一間破屋子裏談天。

拿鍾兒的說:
『世間底表面,是誰造成的?
　你瞧!世間人住的、著的、使的，
　哪一件不是鍾兒下面的工程?』

拿鋤兒的說:
『世間底生命,是誰養活的?
　你瞧!世間人喫的、喝的、抽的，
　哪一件不是鋤兒下面的結果?』

他們倆又一齊說:

『咳,現在我們住的、著的、使的,

喫的、喝的、抽的,

都沒好好兒的。

我們那些鍾兒下面的工程,

鋤兒下面的結果,

哪兒去了?』

鼕!鼕!!鼕!!!

遠遠地鼓聲動了!

一更……二更……好像在那兒說:

『工!農!

勞動!勞動!!

不公!不公!!

不平!不平!!』

快三更啦,

舊夢

他們想睡，

也睡不成。

朦朦朧朧地張眼一瞧，

黑暗裏突然地透出一線兒紅。

這是甚麼?——

原來是北極下來的新潮，

從近東卷到遠東。

那潮頭上湧著無數的錘兒鋤兒，

直要錘勻了鋤光了世間底不平

不公。

呀,映著那初升的旭日光兒，

一霎時徧地都紅，

驚破了他們倆底迷夢!

喂!起來!起來!!

現在是甚麼時代?——

一九一九年末日底二十四時完
　結了，
你瞧！這紅色的年兒新換，世界新
　開！

一九一九，一二，三一，在杭州，

勞動節歌

（一）

世界，世界，
誰能創造世界？——
不是耶和華，
只是勞動者。
世界，世界，
勞動者底世界！

（二）

勞動者，勞動者，

誰能管轄勞動者?——
勞動者沒有國家,
勞動者只有世界。
勞動者,勞動者,
世界的勞動者!

(三)

勞動節,勞動節,
誰能紀念勞動節?——
除開政府、資本家,
不分國界種族界。
勞動節,勞動節,
世界的勞動節,世界的勞動者底
勞動節!

一九二一,四,三〇,在蕭山。

八點鐘歌

舊夢

(一)

工作八點鐘,
有的農,
有的工。
耕耕種種,
織織縫縫,
築成基礎,
架起梁棟;
吃的、穿的、住的、互相供奉,
一件也不會白享用。
好!工作八點鐘!
不是工作八點鐘,
怎能減少勞動者底苦痛?

(二)

教育八點鐘,
科學懂,

事理通。
療治愚蒙，
開拓心胸，
本能發展，
知識擴充；
向黑暗裏把光明輸送，
才覺得前途希望無窮。
好！教育八點鐘！
不是教育八點鐘，
怎能覺悟勞動者底苦痛？

(三)

休息八點鐘，
睡意濃，
鼾聲重。
四肢舒縱，
雙眼朦朧，

舊夢

一天栗碌，
一覺從容；
就做個把快活安閒的夢，
也教人精神爽、骨節鬆。
好，休息八點鐘！
不是休息八點鐘，
怎能慰藉勞動者底苦痛？

一九二一，四，三〇，在蕭山，

五一運動歌

(一)

五一運動，五一運動，
勞動者第一成功。
雖則成功，
也難免幾回飛濺血花紅！
斷頭台上，
槍彈叢中，

舊夢

有多少犧牲者曾經斷送!
五一運動,
悲壯啊!成功底歷史多麼慘痛!
五一運動,
光榮啊!成功底代價多麼珍重!

(二)

五一運動,五一運動,
勞動者第一成功。
美也成功;
歐也成功;
只有特殊的亞東,
還脫不了資本家底牢籠,
瞧不見世界的勞動潮流湧!
五一運動,
醒來啊!支那人底清夢!
五一運動,

起來啊!支那勞動者底奮勇!

一九二一,四,三〇,在蕭山。

金錢

肩也不擔,

腿也不趕,

手也不起繭,

額也不流汗;

塵土也不黏,

煙煤也不染,

錘、鑽、針、線、鋤、鐮,

也不曾拿一件;

居然穿得温煖,——而且綾羅綢緞,

吃得香甜,——而且油膩肥鮮,

住得安全,——而且樓臺庭

院。

羞慚也羞慚！

白住、白吃、白穿！

『「將錢買過，

並無罪過，」

你不見穿、吃、住的代價是金錢。』

哦！哪兒來的金錢？——

還不是勞工們血汗底結晶片！

一九二一，三，二七，在杭州。

賣布謠（一）

嫂嫂織布，

哥哥賣布。

賣布買米，

有飯落肚。

嫂嫂織布，

哥哥賣布，

弟弟褲破，

沒布補褲。

嫂嫂織布，

哥哥賣布。

是誰買布，

前村財主。

土布粗，

洋布細。

洋布便宜，

財主歡喜。

土布沒人要，

餓倒哥哥嫂嫂！

一九二〇，五，三一，在杭州。

賣布謠(二)

布機軋軋，
雄雞啞啞。
布長夜短，
心亂如麻。

四更落機，
五更趕路：
空肚出門，
上城賣布。

上城賣布，
城門難過：
放過洋貨，
捺住土貨。

沒錢完捐,

奪布充公。

奪布猶可,

押人太凶!

『饒我饒我!』

『拘留所裏坐坐!』

一九二〇,五,三一,在杭州。

收成好

收成好,收成好,

爸爸媽媽開口笑:

『前年水荒去年旱,

可憐租也還不了!

今年晴雨多調勻,

也許多收幾擔稻:

舊欠新租一埽清,

全家還夠一年飽;

不但全家飽一年，
有餘更上行家糶；
聽說今年米價貴，
糶得錢多好運道！』
爸爸說，媽媽笑；
阿二跟著跳：
『糶得錢多好運道，
給我做件新棉襖！』
爸爸頭一搖；
媽媽輕輕叫：
『阿二來，
別胡鬧！
果然錢多好運道，
也不用你開口討；
別說新棉襖，
就是新褲、新鞋、新襪、新氈帽、也
許給你做來一套。

但是雖說收成好，
畢竟如今難豫料。
好孩子，別胡鬧！
吃飽飯，快睡覺！
明朝起得格外早，
早早去割飼牛草！」

天天只吃一堆草，
老牛耕田耕到老；
阿二天天割牛草，
一件棉襖想不到！
收成好，收成好，
一件棉襖想不到！
一九二一，二，二七，在杭州。

田主來

一聲田主來，

舊夢

爸爸眉頭皺不開。
一聲田主到,
媽媽心頭,畢剝跳。
爸爸忙埽地,
媽媽忙上竈:
『米在桶,酒在罈,
魚在盆,肉在籃;
照例要租雞,
沒有怎麼辦?——
本來豫備兩隻雞,
一隻被賊偷;一隻遭狗咬;
另買又沒錢,眞眞不得了!——
阿二來!
和你商量好不好?
外婆給你那隻老婆雞,
養到三年也太老,
不如借給我,

明年還你一隻雄雞能報曉!』
媽媽淚一揩,
阿二脣一蹺:
『譬如賊偷和狗咬,
濕他搶得大肚飽。
別說甚麼借和還,
雄雞雌雞都不要。
勤的餓,惰的飽,
世間哪裏有公道!
辛苦種得一年田,
田主偏來當債討。
大斗重秤十足一,
額外浮收還說少。
更添阿二一隻雞,
也不值得再計較!
賊是暗地偷;狗是背地咬;
都是乘人不見到。

怎像田主凶得很,

明吞面搶眞强盗!』

媽媽手亂搖:

『阿二別懊惱!

小心田主聽見了,

明年田脚(註)都難保!』

(註)紹興田戶除向田主賃田播種外,
另有所謂『田脚』的,由田戶自相買賣。
但田主也有權硬行收買『田脚,』不
準他再種這田,叫做『起田脚。』

一九二一,二,二八,在杭州。

○ 每飯不忘

飯碗端起,

我就記起——

他,

他姓李!

飯碗端起,
我就記起——
他,
他死在蕭山縣監獄裏!

飯碗端起,
我就記起——
他,
他是中國農民犧牲者第一!

飯碗端起,
我就記起——
其餘沒有人了嗎,
難道中國農民全都跟著他斷了
　氣!

一九二二,二二,六,在杭州

新禽言

掛掛紅燈(一)

掛掛紅燈!
掛掛紅燈!
快快天晴!
快快天晴!
再不天晴,
水沒田塍;
田塍水沒,
沒得收成。

收成沒得,
餓煞妻小。
餓煞猶可,

只怕田主逼討!

一九二一,六,五,在蕭山。

新禽言

掛掛紅燈(二)

掛掛紅燈!
掛掛紅燈!
我要光明!
我要光明!
紅燈當面,
照我眼睛;
紅燈當頭,
照我心靈。

可惜紅燈,
不能長照。

若要永久光明,
除非不斷地創造!
　　一九二一,六,五,在蕭山。

新禽言

渴殺苦

渴殺苦,渴殺苦!
田乾稻枯,田乾稻枯!
渴殺稻田,苦殺農夫!
脚踏桔槔,心如轆轤;
心焦力乏,汗下如雨。
身上有雨,天上偏無;
怎得天上雨點,也同身上汗點一
　　樣粗?

渴殺苦,渴殺苦!

渴殺稻田,苦殺農夫!

回頭看主,高堂大廈,閒坐等收租!

一九二一,六,一〇,在杭州。

新禽言

布穀

布穀!布穀!

朝催夜促。

春天不布,秋天不熟。

布穀!布穀!

朝求夜祝。

春布一升,秋收十斛。

布穀!布穀!

朝忙夜碌。

農夫忙碌,田主福祿。

田主吃肉,農夫吃粥。

一九二一,六,一二,在杭州。

新寓言

割麥插禾

割麥插禾,割麥插禾!

插麥不少,割麥不多;

插禾雖多,割禾如何?

割麥插禾,割麥插禾!

割麥不多,急殺婆婆:

磨麵不滿籮;

烙餅不滿鍋。

割麥插禾,割麥插禾!

割禾如何,愁殺哥哥:
不愁自家肚子餓;
只愁田租還不過。
一九二一,六,五,在杭州。

新倉言

脫却布袴

脫却布袴,脫却布袴,
不脫布袴,汗流雙股;
脫却布袴,雙股泥污。
種田苦,種田苦!

脫却布袴,脫却布袴!
田租不淸,田主不許;
脫袴當錢,補還田主。
還租苦,還租苦!

一九二一,六,一,七,在杭州。

新禽言

駕犂

駕犂,駕犂!
老牛晦氣!
帶水拖泥,犂重難移。
犂重難移,鞭長難避;
打落牛毛,擦破牛皮!

駕犂,駕犂!
老農獃氣!
拉牛耕田,力盡筋疲。
稻熟租清,賣牛買米;
吃飽田主,餓殺自己!

一九二一,六,一九,在杭州。

新禽言

各各作工

各各作工,各各作工!
誰該辛苦,誰該閒空?
通力合作,供給大衆;
各盡所能,各各勞動!

各各作工,各各作工!
誰該富有,誰該困窮?
大家努力,生產歸公;
各取所需,各各享用!

各各作工,各各作工!
甚麼財東,甚麼雇傭,
一樣的人,階級重重!

無人不工,何日成功?

一九二一,六,二〇,在杭州。

新禽言

泥滑滑(一)

泥滑滑,泥滑滑!
田塍路,滑踢蹋!
你草鞋,我赤脚,
放心走,隨意踏。
緞鞋、皮鞋來,滑煞!

一九二一,六,二三,在杭州。

新禽言

泥滑滑(二)

泥滑滑,泥滑滑!

泥若不滑，秧也難插；
插不得秧，活活餓煞！
果然農夫都餓煞，田主怎地活法？
泥滑滑，活菩薩！

一九二一，七，一〇，在杭州。

新禽言

割麥過荒

割麥過荒，割麥過荒！
秋收不好，春末無糧；
斗米千錢，米貴非常！
沒錢糴米，割麥過荒！

割麥過荒，割麥過荒！
欠租舊約，麥熟淸償；
未到麥熟，肚餓難當！

舊夢

剜肉補瘡,割麥過荒!

割麥過荒,割麥過荒!
去年割稻,空忙一場;
今年割麥,一樣空忙!
說甚割麥過荒,
農夫空肚,田主滿倉!

一九二一,七,八,在杭州。

新禽言

著新脫故

著新脫故,著新脫故!
新衣不久藏,故衣不再補。
千絲萬縷,千辛萬苦;
誰織誰縫?工男工女。

舊夢

著新脫故,著新脫故!

新衣愛如花,故衣憎如土。

喜新厭故,不曾一顧;

工男工女,滿身襤褸!

一九二一,七,一三,在杭州。

Chinese Literary Association Series

Old Dreams

Commercial Press, Limited

中華民國十三年三月初版

（文學研究會叢書）舊夢一册

（每册定價大洋壹元）

（外埠酌加運費匯費）

著者　劉大白

發行者　商務印書館

印刷所　上海北河南路北首寶山路　商務印書館

總發行所　上海棋盤街中市　商務印書館

分售處　商務印書分館　北京　天津　保定　奉天　吉林　龍江　濟南　太原　開封　鄭州　西安　南京　杭州　蘭谿　安慶　蕪湖　南昌　漢口　長沙　常德　衡州　成都　重慶　瀘縣　福州　廣州　潮州　香港　梧州　雲南　貴陽　張家口　新嘉坡

印證

三四二二七號

文學研究會叢書

書名	著譯者	定價
春之循環	瞿世英	三角
意門湖	唐性天	二角五分
隔膜	葉紹鈞	五角
小說彙刊	葉紹鈞	四角
工人綏惠略夫	魯迅	六角
雪朝		五角
阿那托爾	郭紹虞	四角
一個青年的夢	魯迅	七角
愛羅先珂童話集	魯迅	七角
小人物的懺悔	耿式之	五角
史特林堡戲劇集	張毓桂	五角
新俄國遊記	瞿秋白	三角五分
將來之花園	徐玉諾	四角
一葉	王統照	六角
長子	鄭演存	三角
飛鳥集	鄭振鐸	三角
獄中記	汪馥泉等	六角五分
慳吝人	高眞常	五角五分
繁星	冰心女士	三角
超人	冰心女士	四角五分
西洋小說發達史	謝六逸	五角
青鳥	一冊	六角五分

縣(87)